16	3	2	13
5	10	11	8
9	6	7	12
4	15	14	1

Coleção LESTE

Fiódor Dostoiévski

NOITES BRANCAS
Romance sentimental
(Das recordações de um sonhador)

Tradução, posfácio e notas
Nivaldo dos Santos

Gravuras
Livio Abramo

editora█34

EDITORA 34

Editora 34 Ltda.
Rua Hungria, 592 Jardim Europa CEP 01455-000
São Paulo - SP Brasil Tel/Fax (11) 3811-6777 www.editora34.com.br

Copyright © Editora 34 Ltda., 2005
Tradução © Nivaldo dos Santos, 2005
Ilustrações © Espólio de Livio Abramo, 2005

A FOTOCÓPIA DE QUALQUER FOLHA DESTE LIVRO É ILEGAL E CONFIGURA UMA
APROPRIAÇÃO INDEVIDA DOS DIREITOS INTELECTUAIS E PATRIMONIAIS DO AUTOR.

Edição conforme o Acordo Ortográfico da Língua Portuguesa.

As gravuras de Livio Abramo aqui reproduzidas foram realizadas
para a edição de *Noites brancas*, da Livraria José Olympio Editora,
Rio de Janeiro, publicada em 1962. A Editora 34 agradece à
Atrium Promoções Ltda., proprietária do Acervo José Olympio.

Título original:
Biélye nótchi

Capa, projeto gráfico e editoração eletrônica:
Bracher & Malta Produção Gráfica

Revisão:
Cide Piquet

1ª Edição - 2005, 2ª Edição - 2007,
3ª Edição - 2009 (13ª Reimpressão - 2025)

CIP - Brasil. Catalogação-na-Fonte
(Sindicato Nacional dos Editores de Livros, RJ, Brasil)

> Dostoiévski, Fiódor, 1821-1881
>
> D724n   Noites brancas: romance sentimental (das
> recordações de um sonhador) / Fiódor Dostoiévski;
> tradução, posfácio e notas de Nivaldo dos Santos;
> gravuras de Livio Abramo — São Paulo: Editora 34,
> 2009 (3ª Edição).
> 96 p.   (Coleção Leste)
>
> ISBN 978-85-7326-335-0
>
> Tradução de: Biélye nótchi
>
>   1. Literatura russa. I. Santos, Nivaldo dos
> II. Abramo, Livio (1903-1992). III. Título. IV. Série.

CDD - 891.73

NOITES BRANCAS
Romance sentimental
(Das recordações de um sonhador)

Primeira noite	11
Segunda noite	27
Terceira noite	57
Quarta noite	67
Manhã	79
Posfácio do tradutor	84

NOITES BRANCAS

Romance sentimental
(Das recordações de um sonhador)

As notas do tradutor fecham com (N. do T.). As outras são de L. D. Opulskaia, G. F. Kogan, A. L. Grigóriev e G. M. Fridlénder, que prepararam os textos para a edição russa e escreveram as notas, e estão assinaladas como (N. da E.).

Traduzido do original russo *Pólnoie sobránie sotchiniénii v tridtzatí tomákh — Khudójestviennie proizviedeniya* (Obras completas em 30 tomos — Obras de ficção) de Dostoiévski, tomo II, Moscou-Leningrado, Ed. Naúka, 1972.

... Fora ele criado
Para habitar um instante que fosse
Nas vizinhanças do teu coração?

I. Turguêniev

PRIMEIRA NOITE

Era uma noite maravilhosa, uma noite tal como só é possível quando somos jovens, caro leitor. O céu estava tão estrelado, um céu tão luminoso, que ao olhá-lo seríamos obrigados a nos perguntar infalivelmente: como pode viver sob um céu assim toda sorte de gente irritadiça e caprichosa? Esse também é um questionamento de quem é jovem, caro leitor, muito jovem, mas que Deus o possa inspirar-lhe muitas vezes!... Falando sobre toda sorte de senhores irritadiços e caprichosos, eu não podia deixar de recordar minha boa conduta durante todo aquele dia. Desde bem cedo começou a me afligir uma tristeza singular. Pareceu-me de repente que eu, um solitário, estava sendo abandonado por todos e que todos se afastavam de mim. Claro, qualquer um teria o direito de perguntar: mas quem são esses todos? Porque já faz oito anos que moro em Petersburgo, e não consegui estabelecer quase nenhuma relação. Mas pra quê preciso de relações? Eu já conheço toda Petersburgo sem isso; aí está por que me parecia que todos me abandonavam quando toda Petersburgo se levantou e partiu de repente para o campo. Comecei a ter medo de ficar sozinho e vaguei durante três dias inteiros pela cidade numa tristeza profunda, sem entender absolutamente o que se passava comigo. Quer fosse para a Niévski,[1] quer fos-

---

[1] A mais famosa avenida de São Petersburgo, que serviu de cenário para a novela *Avenida Niévski* (1835), de N. V. Gógol (1809-1852). (N. do T.)

se para o jardim, quer vagasse pela marginal do rio,[2] não havia um só rosto daqueles que me acostumara a encontrar naqueles lugares, na hora habitual, o ano inteiro. Claro, eles não me conhecem, mas eu os conheço. Eu os conheço intimamente; já quase fixei suas fisionomias — agrada-me admirá-los quando estão felizes, e me entrego à melancolia quando se tornam sombrios. Quase travei amizade com um velhinho que encontro todo santo dia, na hora habitual, no Fontanka.[3] É de uma fisionomia muito grave, pensativa; murmura sempre pelo nariz e agita a mão esquerda, e na direita traz uma bengala nodosa e longa com empunhadura dourada. Ele até me nota e tem simpatia por mim. Se acontecer de eu não estar na hora habitual naquele lugar do Fontanka, estou certo de que a melancolia o atacará. Aí está por que às vezes nós quase saudamos um ao outro, sobretudo quando ambos estamos de bom humor. Há pouco tempo, quando ficamos dois dias inteiros sem nos ver e nos encontramos no terceiro, já íamos tirar os chapéus, mas felizmente nos recobramos a tempo, baixamos os braços e com simpatia passamos um pelo outro. As casas também são minhas conhecidas. Quando caminho, é como se todas avançassem para a rua em minha direção, olhassem para mim com todas as suas janelas e quase dissessem: "Bom dia, como vai sua saúde? Eu estou bem, Graças a Deus, e em maio vão me aumentar um andar". Ou: "Como está sua saúde?"; "Amanhã vão me reformar". Ou: "Eu quase me queimei e fiquei mesmo assustada", etc. Dentre elas tenho minhas favoritas, minhas amigas íntimas; uma delas deseja se tratar com um arquiteto neste verão. De propósito começarei a passar todo dia para que não a façam sofrer de algum modo; que Deus a proteja!... Mas nunca me esquece-

---

[2] O Jardim de Verão e a marginal do rio Nievá são dois dos mais belos pontos turísticos da cidade. (N. da E.)

[3] Canal que atravessa São Petersburgo. (N. da E.)

rei da história de uma linda casinha rosa-claro. Era uma casinha de pedra tão agradável, olhava de forma tão acolhedora para mim, e de forma tão arrogante para suas vizinhas desajeitadas, que meu coração se alegrava quando me acontecia passar na sua frente. De repente, na semana passada, estava indo pela rua e, logo que olhei para minha amiga, ouvi um grito lastimoso: "Pintaram-me com tinta amarela!". Malvados! Bárbaros! Não tiveram pena de nada: nem das colunas, nem das cornijas, e minha amiga ficou amarela como um canário. Quase descarreguei a bílis por causa desse acontecimento, e até agora não tive coragem de ver minha pobre amiga desfigurada, que pintaram com a cor do Império Celestial.[4]

Agora você entende, leitor, de que modo eu travei relações com toda Petersburgo.

Já disse que uma inquietude me atormentara por três dias inteiros, até que me dei conta de sua causa. Na rua me sentia mal (esse não estava, aquele também não, e o outro onde é que se meteu?), e em casa eu ficava fora de mim. Fiquei me questionando por duas noites: o que estará faltando em meu canto? por que me incomodava tanto permanecer ali? Examinava com perplexidade minhas paredes verdes enegrecidas, o teto coberto por teias de aranha, que Matriôna cultivava com grande êxito, reexaminava toda minha mobília, examinava cada cadeira, pensando: será que o mal não está aqui? (pois se uma cadeira minha não estiver como na véspera, então fico fora de mim), olhava pela janela, mas tudo em vão... não me aliviava nem um pouco! Cheguei ao ponto de chamar Matriôna e dar-lhe uma bronca paternal por causa das teias de aranha e pelo desmazelo geral; mas ela apenas me olhou surpresa e foi embora, sem responder nenhuma palavra, e as teias de aranha ainda estão bem firmes

---

[4] Antiga denominação da China. Até a derrubada da monarquia, em 1912, a bandeira chinesa trazia a imagem de um dragão no interior de um círculo amarelo. (N. da E.)

Noites brancas

no lugar. Somente hoje pela manhã me dei conta do negócio. Eh! Eles estão mesmo fugindo de mim para o campo! Desculpe pelo palavreado vulgar, mas não tenho ânimo para buscar um estilo elevado... porque tudo quanto havia em Petersburgo, ou tinha se mudado, ou estava se mudando para o campo; porque todo senhor respeitável, de certa aparência, que alugasse um cocheiro, aos meus olhos transformava-se de imediato num respeitável pai de família que, depois das tarefas de rotina, dirigia-se vestido levemente para o seio de sua família, para o campo; porque todo passante tinha agora um aspecto tão particular que parecia dizer a qualquer um que encontrasse: "Senhores, estamos aqui apenas de passagem, e dentro de duas horas partiremos para o campo". Se se abria uma janela na qual tivessem tamborilado dedinhos delicados e brancos como açúcar, e surgia a cabecinha de uma moça bonita para chamar um ambulante com vasos de flores, de imediato parecia-me que só se compravam aquelas flores por comprar, isto é, não era de modo algum para se deleitar com a primavera e com as flores num apartamento asfixiante da cidade, e que muito em breve todos iam se mudar para o campo e levariam as flores consigo. Afora isso, eu fizera tais progressos em meu novo e particular gênero de descobertas, que já podia determinar infalivelmente, só pela aparência, em que aldeia vivia cada um deles. Os habitantes das ilhas Kâmienny e Aptiekárski ou da estrada de Peterhov[5] distinguiam-se pela estudada elegância das maneiras, pelos trajes elegantes de verão e pelas carruagens maravilhosas nas quais vinham para a cidade. Os habitantes de Pargolovo[6] e mais adiante "inspiravam" logo à primeira vista por sua discrição e serieda-

---

[5] A ilha Kâmienny, juntamente com a estrada de Peterhov, era um local de descanso da nobreza durante o verão. A ilha Aptiekárski era considerada uma região menos aristocrática. (N. da E.)

[6] Região onde as pessoas menos abastadas passavam o verão. (N. da E.)

de; um visitante da ilha de Krestóvski[7] se distinguia pela aparência imperturbavelmente alegre. Tive ocasião de encontrar uma longa procissão de cocheiros, que iam de modo indolente com as rédeas nas mãos, junto dos carros carregados com montes inteiros de toda espécie de mobília, mesas, cadeiras, sofás turcos e não turcos, e outros bens domésticos, sobre os quais, por cima de tudo aquilo, amiúde ocupava o lugar de honra no topo do carro uma cozinheira magra, cuidando dos bens do patrão como a menina dos olhos. Eu olhava para os barcos pesadamente carregados de utensílios domésticos que deslizavam pelo Nievá ou pelo Fontanka, até o Rio Negro[8] ou as ilhas — carros e barcos se multiplicavam por dez, por cem, diante dos meus olhos; parecia que tudo se levantara e partira, que tudo se mudava em caravanas inteiras para o campo; parecia que toda Petersburgo ameaçava transformar-se num deserto, de modo que no final me senti envergonhado, ofendido e desolado: eu absolutamente não tinha como nem por quê ir para o campo. Estava pronto para partir com qualquer carro, com qualquer senhor de aspecto respeitável que alugasse um cocheiro, mas nenhum, absolutamente ninguém me convidara; era como se tivessem se esquecido de mim, como se eu fosse de fato um estranho para eles!

Andei muito e por muito tempo, tanto que, como é meu costume, consegui esquecer completamente onde estava, e de repente me achei nos limites da cidade. Súbito fiquei feliz e atravessei a barreira num golpe, passei entre campos semeados e prados sem perceber o cansaço, apenas sentindo com todo meu corpo que um fardo qualquer se desprendia de minha alma. Todos os passantes olhavam para mim de um modo tão acolhedor que decisivamente quase me cumprimenta-

---

[7] Ilha quase toda ocupada por um parque. (N. da E.)

[8] Rio localizado na parte continental da cidade de São Petersburgo. (N. da E.)

vam; estavam todos muito contentes por alguma razão, e todos, sem exceção, fumavam charutos. Eu também estava contente como jamais me acontecera. Era como se de repente eu me achasse na Itália, tão fortemente a natureza me surpreendia, a mim, um cidadão meio enfermo quase morrendo asfixiado entre os muros da cidade.

Há algo inexplicavelmente comovedor em nossa natureza petersburguense quando, com a aproximação da primavera, ela mostra de repente todo seu vigor, todas as forças que lhe concedeu o Céu, e se cobre de veludo, se embeleza e se adorna com as flores... Involuntariamente ela me faz recordar aquela moça seca e enfermiça, para a qual você olha às vezes com piedade, às vezes com uma certa compaixão, e às vezes sequer a percebe, mas que de repente, num instante, de modo involuntário e inexplicável, aparece surpreendentemente bela; e você, pasmo e encantado, sem querer pergunta a si mesmo: que força fez esses olhos tristes e pensativos brilharem com um fogo assim? O que trouxe sangue para essas faces pálidas e ressequidas? O que regou de paixão esses traços delicados do rosto? Por que arfa esse peito? O que trouxe tão subitamente a força, a vida e a beleza para o rosto dessa pobre moça, fazendo-o brilhar com um sorriso assim e animar-se com um riso tão brilhante e ardente? Você olha ao redor, procura por alguém, tenta compreender... Mas passa esse instante e, talvez, no dia seguinte, você encontre novamente aquele mesmo olhar distraído e pensativo de antes, aquele mesmo rosto pálido, aquela mesma docilidade e timidez nos movimentos e até mesmo um arrependimento, os vestígios de uma certa tristeza mortal e do despeito por aquele entusiasmo de um momento... Você lamentará que a beleza de um instante tenha se esgotado tão rápida e facilmente, que ela tenha brilhado de forma tão ilusória e inútil na sua frente — lamentará até mesmo não ter tido tempo de amá-la...

Mas, apesar de tudo, minha noite foi melhor que o dia! Eis como foi:

Voltei para a cidade muito tarde, e já tinham soado dez horas quando me aproximava de casa. Meu caminho seguia pela marginal do rio, onde àquela hora você não encontrará vivalma. Na verdade moro numa parte distante da cidade. Eu seguia e cantava, porque quando estou feliz cantarolo sem falta algo para mim mesmo, como qualquer pessoa feliz que não tem nem amigos, nem bons conhecidos, e que num momento alegre não tem com quem dividir sua alegria. Súbito aconteceu comigo o incidente mais inesperado.

Num recanto, apoiando-se no parapeito do canal, havia uma mulher. Com os cotovelos apoiados na grade, ela parecia olhar de forma muito atenta para a água turva do canal. Usava um belo chapéu amarelo e uma graciosa mantilha preta. "É uma moça, e certamente morena" — pensei. Parecia não ouvir os meus passos e nem mesmo se moveu quando passei por ela, prendendo a respiração e com o coração batendo fortemente. "Estranho!" — pensei — "decerto está muito preocupada com alguma coisa", e de repente parei atônito. Ouvi um soluço espesso. Sim! Eu não me enganara: a moça estava chorando; e daí a um minuto mais um soluçar, e mais outro. Meu Deus! Fiquei com o coração apertado. Embora eu seja tímido com as mulheres, aquilo foi um momento tal!... Voltei, caminhei em sua direção e sem dúvida teria dito: "Senhorita!", se não soubesse que essa expressão já fora pronunciada mil vezes em todos os romances russos mundanos. Foi isso que me deteve. Mas enquanto eu buscava uma palavra, a moça voltou a si, olhou ao redor, se recompôs, baixou a cabeça e deslizou à minha frente pela marginal do rio. Imediatamente eu a segui, mas ela percebeu, deixou a marginal, atravessou a rua e foi pela calçada. Não ousei atravessar a rua. Meu coração palpitava como o de um passarinho que fora apanhado. De repente, uma casualidade veio em meu auxílio.

Naquele lado da calçada, não longe de minha desconhecida, apareceu de repente um senhor de fraque, de idade res-

Noites brancas   17

peitável, mas de andar não tão respeitável. Ia cambaleando e apoiando-se no muro. A moça já ia feito uma flecha, apressada e timidamente, como em geral andam todas as moças que não querem que alguém se ofereça para acompanhá-las de noite à casa, e é claro que o senhor cambaleante não a alcançaria de modo algum, se minha sorte não o tivesse induzido a buscar meios artificiosos. De repente, sem dizer nenhuma palavra, o meu senhor dispara e vai à toda, correndo, no encalço de minha desconhecida. Ela ia como o vento, mas o agitado senhor a estava alcançando, alcançou; a moça gritou... eu agradeço ao destino pelo excelente bastão nodoso que apareceu dessa vez em minha mão direita. Num piscar de olhos achei-me naquele lado da calçada; num piscar de olhos o senhor intruso entendeu do que se tratava, levou em conta meu argumento irrefutável, ficou calado e recuou; e só quando já estávamos bem longe protestou contra mim em termos muito enérgicos. Mas suas palavras quase não chegaram até nós.

— Dê-me o braço — disse eu à minha desconhecida — e ele não mais ousará molestá-la.

Calada, ela deu-me seu braço ainda trêmulo por causa da agitação e do susto. Oh, senhor intruso, como eu lhe agradecia naquele momento! Olhei-a furtivamente: era graciosa e morena — eu tinha adivinhado. Em suas pestanas negras ainda brilhavam pequenas lágrimas provocadas pelo susto recente ou pela mágoa anterior, não sei. Mas nos lábios já cintilava um sorriso. Ela também me olhou de soslaio, enrubesceu um pouco e baixou a cabeça.

— Está vendo, por que a senhorita me repeliu agora há pouco? Se eu estivesse ali, nada teria acontecido...

— Mas eu não o conhecia, pensei que o senhor também...

— E por acaso me conhece agora?

— Um pouquinho. Olhe, por exemplo, por que o senhor está tremendo?

— Oh, a senhorita adivinhou na primeira! — respondi, entusiasmado porque minha moça era inteligente: isso jamais compromete a beleza. — Sim, a senhorita adivinhou logo à primeira vista com quem estava lidando. Exatamente, sou tímido com as mulheres; estou agitado, não nego, não menos do que a senhorita estava um minuto atrás, quando aquele senhor a assustou... Estou meio assustado agora. É exatamente um sonho, mas nem mesmo em sonho adivinhava que um dia conversaria com qualquer mulher que fosse.

— Como? Será possível?...

— Sim, se meu braço está tremendo é porque ele nunca foi rodeado por uma mãozinha tão bonita e pequena como a sua. Estou absolutamente desacostumado das mulheres; quer dizer, nunca me acostumei com elas, sou um solitário... Nem mesmo sei como conversar com elas. Agora mesmo, será que não lhe disse alguma tolice? Diga-me francamente; adianto-lhe que não sou suscetível...

— Não, nada, nada, pelo contrário. E já que o senhor exige que eu seja franca, então lhe direi que as mulheres gostam de uma timidez assim. E se quer saber mais, eu também gosto e não vou repeli-lo até chegar em casa.

— A senhorita fará — comecei, sufocado de entusiasmo — com que eu deixe de ser tímido, e daí adeus a todos os meus métodos.

— Métodos? Que métodos, do que está falando? Isto sim é ruim.

— Desculpe, não direi mais, isso me escapuliu; mas como a senhorita quer que num momento assim não tenha o desejo de...

— De agradar, talvez?

— Bem, sim, mas pelo amor de Deus, faça o favor. Julgue quem sou! Já tenho vinte e seis anos e nunca tive ninguém. Ora, como posso falar bem, com habilidade e de forma adequada? Será melhor quando eu tiver revelado e esclarecido tudo... Eu não sei calar quando o coração fala dentro de mim. Bem, é a mesma coisa... Acredite, nenhuma mulher, nunca, nunca! Nenhum conhecido! Apenas sonho todo dia que cedo ou tarde encontrarei alguém enfim. Ah, se a senhorita soubesse quantas vezes fiquei apaixonado dessa forma!...

— Mas como, por quem foi?

— Ora, por ninguém, por um ideal, por aquela que me aparecia em sonho. Crio romances inteiros em meus devaneios. Oh, a senhorita não me conhece! Na verdade não posso negar que encontrei duas ou três mulheres, mas que mulheres eram elas? Eram umas donas de casa que... Mas vou fazê-la rir. Vou dizer-lhe que já vezes pensei em falar assim, sem cerimônia, com alguma aristocrata na rua. Entenda-se: quando ela estivesse sozinha. Claro, falar de um modo tímido, respeitoso e apaixonado; dizer que estou morrendo sozinho, que ela não me rechace, que não há maneira de conhecer qualquer mulher que seja, sugerir-lhe que é até mesmo uma obrigação da mulher não rechaçar a súplica tímida de um homem tão desgraçado como eu. Enfim, tudo o que peço é tão somente que me diga umas duas palavras fraternas, com simpatia, sem me repelir logo no primeiro passo, que acredite em minhas palavras, que ouça o que vou dizer, que ria de mim se quiser, mas que me dê esperança, que me diga duas palavras, só duas palavras, mesmo que nunca mais nos encontremos!... Mas a senhorita está rindo... Aliás, não é para menos...

— Não se zangue, estou rindo porque o senhor é seu próprio inimigo; e se tivesse tentado talvez conseguisse, ainda que a coisa se desse na rua; quanto mais simples melhor. Nenhuma mulher bondosa, a menos que fosse tola ou que estivesse de muito mau humor naquele momento, decidiria mandá-lo embora sem essas duas palavras que o senhor implora tão timidamente... Aliás, que estou dizendo! É claro que tomaria o senhor por um louco. Julguei por mim mesma. Sei muito bem que tipo de gente vive neste mundo!

Noites brancas

— Oh, eu lhe agradeço — gritei —, a senhorita não sabe o que acaba de fazer por mim!

— Está bem, está bem! Mas diga-me, como o senhor sabia que eu era uma mulher assim, com a qual... bem, que o senhor considerava digna... de atenção e amizade... numa palavra: não uma dona de casa, como o senhor denomina. Por que decidiu se aproximar de mim?

— Por quê? Por quê? Mas a senhorita estava sozinha, aquele senhor era demasiado atrevido, e agora é noite; convenha que aquilo era um dever...

— Não, não, antes disso, ali, do outro lado da rua. O senhor já queria se aproximar de mim, não é?

— Ali, do outro lado? Bem, na verdade não sei responder; temo que... Sabe, hoje eu estava tão feliz; andava, cantava. Estava nos arredores da cidade; nunca tivera momentos tão felizes. A senhorita... pareceu-me, talvez... Bem, perdoe-me se a farei recordar: pareceu-me que a senhorita estava chorando, e eu... eu não podia ouvir aquilo... meu coração ficou apertado... Oh, meu Deus! Bem, será que eu não podia ter pena da senhorita? Será que era pecado sentir pela senhorita uma fraterna compaixão?... Desculpe, eu disse compaixão... Bem, sim, numa palavra: será que podia tê-la ofendido por pensar involuntariamente em me aproximar da senhorita?...

— Pare, basta, não fale... — disse a moça, que baixou a cabeça e apertou meu braço. — Eu mesma sou culpada de ter falado nisso; mas estou contente por não ter me enganado a seu respeito... mas já estou em casa, preciso ir por aqui, pela viela; são dois passos... Adeus, agradeço-lhe...

— Mas será possível, será que nunca mais nos veremos?... Será que isso termina assim?

— Está vendo — disse a moça rindo —, no início o senhor queria apenas duas palavras, e agora... Bem, não vou lhe dizer nada... Talvez nos encontremos...

— Virei aqui amanhã — disse eu. — Oh, perdoe-me, já estou exigindo...

— Sim, o senhor é impaciente... está quase exigindo...

— Escute, escute! — interrompi-a. — Perdoe-me se digo outra vez... Mas veja, não posso deixar de vir aqui amanhã. Sou um sonhador; tenho tão pouca vida real que momentos assim, como este, me são tão raros que não posso deixar de reproduzi-los em meus devaneios. Vou sonhar com a senhorita a noite inteira, a semana inteira, o ano todo. Virei aqui amanhã sem falta, exatamente aqui, a este mesmo lugar, a esta mesma hora, e ficarei feliz ao recordar o dia de hoje. Este lugar já é belo para mim. Já tenho dois ou três lugares assim em Petersburgo. Uma vez até chorei por causa de uma lembrança, assim como a senhorita... Não sei, talvez dez minutos atrás a senhorita chorasse por causa de uma lembrança... Mas perdoe-me, esqueci de novo; talvez um dia a senhorita tenha sido imensamente feliz aqui...

— Está bem — disse a moça —, talvez eu venha aqui amanhã, também às dez horas. Vejo que já não posso impedi-lo... De qualquer modo preciso vir aqui; não pense que lhe concedo um encontro, previno-lhe que preciso vir aqui por uma razão pessoal. Aí está... Bem, vou lhe dizer francamente: não há problema se o senhor vier; em primeiro lugar, pode haver contratempos novamente, como hoje, mas isso não conta... numa palavra: eu simplesmente queria vê-lo... para dizer-lhe duas palavras. Veja, apenas não vá me julgar mal, hein? Não pense que concedo um encontro tão facilmente... Eu não concederia se... Bem, que isto seja o meu segredo! Mas primeiro um acordo...

— Um acordo? Fale, diga, diga logo tudo, estou de acordo com tudo, estou pronto para tudo — gritei no entusiasmo. — Eu respondo por mim, serei obediente, respeitoso... A senhorita me conhece...

— Exatamente por conhecê-lo é que o convido para amanhã — disse a moça rindo. — Eu o conheço perfeitamente. Mas veja, venha com uma condição: antes de mais nada (apenas faça o favor, faça o que vou pedir, veja que estou falando francamente), não se apaixone por mim... Isto não pode ser, eu lhe asseguro. Para amizade eu estou pronta, aqui está minha mão... Mas apaixonar-se, não, eu lhe peço!

— Eu lhe juro — gritei, tomando sua mãozinha...

— Basta, não jure, pois sei que o senhor é capaz de explodir como pólvora. Não me julgue mal por falar assim. Se o senhor soubesse... Eu também não tenho ninguém com quem possa trocar uma palavra, nem a quem pedir um conselho. Claro, não é na rua que se deve buscar conselheiros, mas o senhor é exceção. Eu o conheço tão bem como se já fôssemos amigos há vinte anos. O senhor não me trairá, não é verdade?

— Verá... apenas não sei como sobreviverei a essas vinte e quatro horas.

— Durma bem, boa noite; e lembre-se de que confiei no senhor. Mas o senhor expressou tão bem há pouco: será que temos de prestar contas de todo sentimento, mesmo de uma fraterna amizade! Sabe, isto foi dito tão bem que de imediato me ocorreu a ideia de confiar-lhe...

— O quê, pelo amor de Deus? O que é?

— Até amanhã. Que isto seja por enquanto um segredo. É melhor para o senhor, pelo menos parecerá um romance. Talvez amanhã lhe diga, talvez não... Mas antes ainda vou conversar com o senhor, vamos nos conhecer melhor...

— Oh, sim, eu lhe contarei tudo sobre mim! Mas o que é isso? É mesmo um milagre o que está acontecendo comigo... Onde estou, meu Deus? Bem, diga, acaso está arrependida por não ter se irritado, como faria outra, por não ter me repelido logo no início? Dois minutos, e a senhorita me fez feliz para sempre. Sim, feliz! Sei lá, talvez a senhorita me tenha reconciliado comigo mesmo, tenha dissipado as minhas dúvidas... Talvez esses momentos me prendam... Bem, amanhã lhe contarei tudo, a senhorita saberá tudo, tudo...

— Está bem, aceito; e é o senhor que começa...

— De acordo.

— Até amanhã!

— Até amanhã!

E nos separamos. Andei a noite toda; não podia decidir-me a voltar para casa. Eu estava tão feliz... até amanhã!

SEGUNDA NOITE

— Bem, aqui estamos! — disse ela, rindo e apertando-me ambas as mãos.

— Já estou aqui há duas horas; a senhorita não sabe como passei todo este dia!

— Sei, sei... mas vamos ao caso. Sabe por que vim? Pois não foi para tagarelar como ontem. Veja, precisamos agir com mais juízo de agora em diante. Ontem pensei muito em tudo isso.

— Como assim, como assim ter mais juízo? De minha parte, estou pronto; mas, na verdade, nunca na vida me aconteceu nada tão ajuizado como agora.

— Verdade? Em primeiro lugar, peço-lhe que não aperte tanto minhas mãos; em segundo, faço-o saber que hoje pensei muito no senhor.

— Bem, e a que conclusão chegou?

— A que conclusão cheguei? Cheguei à conclusão de que é preciso começar tudo de novo, pois no final das contas concluí hoje que o senhor é ainda absolutamente desconhecido para mim, que ontem agi como criança, como uma menina, e, sem dúvida, o culpado de tudo foi o meu bom coração; ou seja, eu me exaltei, como sempre acaba acontecendo quando nos deixamos levar pelas emoções. E para reparar o erro, decidi inteirar-me do senhor do modo mais detalhado. Mas, como não tenho a quem indagar a seu respeito, o senhor mesmo terá de me contar tudo, nos mínimos detalhes. Bem, que tipo de homem é o senhor? Vamos, comece, conte a sua história.

— História? — exclamei assustado. — História? Mas quem lhe disse que tenho uma história? Eu não tenho história...

— Então como é que viveu, se não tem história? — interrompeu ela, rindo.

— Absolutamente sem qualquer história! Vivi assim, como se diz, para mim mesmo; isto é, absolutamente só, completamente só, sozinho. Compreende o que significa "sozinho"?

— Mas como assim, sozinho? Quer dizer que nunca viu ninguém?

— Oh não, ver eu vi, sim; mas, apesar disso, sou sozinho.

— Ora, será possível que o senhor não fale com ninguém?

— No sentido estrito, com ninguém.

— Mas quem é o senhor afinal, explique-se! Espere, eu adivinho: certamente o senhor tem uma avó, como eu. Ela é cega e por toda a vida nunca me deixa sair, tanto que já desaprendi a falar quase que totalmente. E quando dei uma escapulida, dois anos atrás, ela percebeu que não podia deter-me; daí me chamou e prendeu meu vestido ao dela com um alfinete, e desde então ficamos assim dias inteiros; a avó faz meias, apesar de cega, e eu fico ao seu lado cosendo ou lendo um livrinho em voz alta para ela. E que hábito estranho é este de ficar pregada já há dois anos...

— Oh, meu Deus, que desgraça! Mas não, eu não tenho uma avó assim.

— Pois então, como o senhor pode ficar em casa desse jeito?...

— Escute, a senhorita quer saber quem eu sou mesmo?

— Bem, sim, sim!

— No sentido estrito?

— No sentido mais estrito!

— Pois bem: eu sou um tipo.

— Um tipo, um tipo! Como assim, um tipo? — exclamou a jovem, gargalhando como se não risse há um ano. — É divertido estar com o senhor! Veja, há um banco aqui; sentemos! Ninguém passa por aqui, ninguém está nos ouvindo, então comece a sua história! Pois o senhor não vai me convencer; o senhor tem uma história, apenas está se escondendo. Em primeiro lugar, o que é um tipo?

— Um tipo? Um tipo é um original, uma pessoa bem ridícula! — respondi, e eu mesmo comecei a gargalhar, acompanhando seu riso infantil. — É um caráter assim. Escute, sabe o que é um sonhador?

— Um sonhador? Perdão, mas como não saber? Eu mesma sou uma sonhadora! Às vezes, sentada ao lado da avó, que coisas não me passam pela cabeça! Bem, daí começo a sonhar e imagino até que... bem, que estou casando com um príncipe chinês... Mas às vezes é tão bom sonhar! Não, aliás, sabe Deus! Sobretudo se há algo em que pensar além disso — acrescentou a moça, desta vez bastante séria.

— Perfeito! Uma vez que a senhorita já se casou com o imperador chinês, então me compreenderá perfeitamente. Bem, escute... Mas, desculpe, eu ainda não sei como se chama.

— Finalmente! O senhor se lembrou cedo!

— Ah, meu Deus! É que não me ocorreu, eu estava tão bem...

— Eu me chamo Nástienka.[9]

— Nástienka! E só?

— Só! Por acaso é pouco, seu insaciável?

— Pouco? É muito, muito, ao contrário, é muitíssimo, Nástienka; a senhorita é uma moça muito boa, pois desde já me permite que a chame de Nástienka.

— Ora, ora! Vamos!

---

[9] Diminutivo e forma familiar de Nastassía. (N. do T.)

Noites brancas

— Bem, Nástienka, escute só; aqui vai uma história bem engraçada.

Sentei-me ao seu lado, fiz uma pose pedantemente séria e comecei tal como se lesse um livro:

— Em Petersburgo, Nástienka, se a senhorita não sabe, existem recantos bastante estranhos. Nesses lugares parece que não penetra aquele mesmo sol que brilha para todos os petersburguenses, mas sim um outro, novo, enviado como que de propósito para esses recantos, e que brilha com uma luz diferente e particular. Nesses lugares, Nástienka querida, vive-se uma vida absolutamente diferente, que não se parece em nada com a que ferve à nossa volta, uma vida que poderia existir num reino distante e desconhecido mas não junto a nós, nesta nossa época séria, seriíssima. Essa vida é uma mistura de algo puramente fantástico, calidamente ideal e, ao mesmo tempo (ai, Nástienka!), palidamente prosaico e comum, para não dizer vulgar até o inverossímil.

— Ufa! Que preâmbulo! Que mais vou ouvir?

— Vai ouvir, Nástienka (parece que nunca me cansarei de chamá-la de Nástienka), vai ouvir que nesses recantos vivem pessoas estranhas: os sonhadores. Um sonhador, se é necessária uma definição detalhada, não é um homem, mas sim, sabe, uma criatura de gênero neutro. Na maioria das vezes ele habita um recanto inacessível, como se quisesse esconder-se até da luz do dia, e uma vez que se recolhe a sua casa, gruda-se em seu canto como um caracol; ou pelo menos nesse aspecto ele se parece muito com aquele animal interessante, que é animal e casa ao mesmo tempo e que se chama tartaruga. Por que a senhorita acha que ele ama tanto as suas quatro paredes, pintadas infalivelmente de verde, defumadas, melancólicas e insuportavelmente enegrecidas pela fumaça? Por que é que esse ridículo senhor, quando algum de seus raros conhecidos vem visitá-lo (e ele acaba por fazer com que todos os seus conhecidos desapareçam), por que é que esse homem ridículo o recebe com uma expressão tão confusa, tão transtornada, e num desconcerto tal como se houvesse cometido um crime entre as suas quatro paredes, como se fabricasse dinheiro falso ou escrevesse versinhos para enviar a alguma revista numa carta anônima, indicando que o verdadeiro poeta já estava morto e que um amigo seu considerava um dever sagrado publicar os seus versos? Por que, diga-me, Nástienka, a conversa não se desenrola entre esses dois interlocutores? Por que nem um riso, nem qualquer palavra animada sai da boca desse colega desconcertado que entrou de repente e que em qualquer outra situação tanto aprecia o riso, a palavra animada, as conversas sobre o belo sexo e outros temas alegres? Por que afinal esse colega, provavelmente conhecido de pouco tempo e que faz sua primeira visita — e neste caso não haverá uma segunda, já que o colega não virá outra vez —, por que esse mesmo colega, apesar de toda sua agudeza de espírito (se ele a tiver), fica tão confuso e tão encabulado ao olhar para o rosto transtornado do anfitrião, que por sua vez já teve tempo de ficar completamente atrapalhado e perder o resto de seu juízo, depois de esforços gigantescos, porém inúteis, para soltar e avivar a conversa, mostrar que também conhece a vida mundana, que sabe falar sobre o belo sexo e, ainda que através da resignação, agradar aquele pobre homem que por um engano foi parar na sua casa? Por que afinal o visitante agarra de repente o chapéu e sai depressa, tendo se lembrado subitamente de um negócio imprescindível que nunca existiu e livrando-se de qualquer maneira dos cumprimentos calorosos do anfitrião, o qual se esforça de todas as formas para mostrar seu arrependimento e reparar o que foi perdido? Por que o colega que sai, ao passar pela porta, começa a gargalhar e promete a si mesmo que nunca mais virá à casa daquele excêntrico, apesar de que, no fundo, aquele excêntrico seja um homem excelente; e ao mesmo tempo, ele não pode de maneira alguma negar à sua própria imaginação um pequeno capricho: comparar, ainda que de forma distante, a fisionomia de seu interlocutor de há pouco, durante todo o tempo de visita, com o aspecto de um desgraçado gatinho que tivesse sido maltratado por crianças, aterrorizado e ferido de todas as maneiras, depois de o terem agarrado covardemente e o atordoarem ao extremo, mas que afinal fugira delas para debaixo da mesa, para a escuridão, e ali, por uma hora inteira, é forçado a eriçar o pelo, a bufar e lavar seu ultrajado focinho com ambas as patas, e ainda por muito tempo depois disso, contemplar com hostilidade a natureza, a vida e até mesmo os restos do almoço do dono, guardados para ele por uma criada piedosa?

— Escute — interrompeu ela, que o tempo todo me ouvira espantada, com a boquinha e os olhos abertos —, escute, eu absolutamente não sei por que razão aconteceu tudo isso e por que exatamente o senhor me dirige perguntas tão engraçadas; o que sei com certeza é que todos esses incidentes aconteceram infalivelmente com o senhor, palavra por palavra.

— Sem dúvida — respondi, com a mais séria expressão.

— Bem, se não há dúvida, então continue — respondeu Nástienka —, pois quero muito saber como isso termina.

— A senhorita quer saber, Nástienka, o que é que fazia em seu canto o nosso herói, ou, melhor dizendo, eu, pois o herói de toda esta coisa sou eu, minha própria e modesta pessoa; a senhorita quer saber por que razão fiquei tão perturbado e perdido um dia inteiro por causa da inesperada visita de um colega? A senhorita quer saber por que razão fiquei tão sobressaltado e ruborizado quando abriram a porta de meu quarto, por que eu não soube como receber o visitante e sucumbi tão vergonhosamente sob o peso de minha própria hospitalidade?

— Bem, sim, sim! — respondeu Nástienka. — Aí é que está a questão. Escute, o senhor fala maravilhosamente, mas será que não pode falar de uma maneira menos maravilhosa? O senhor fala exatamente como se lesse um livro.

— Nástienka! — respondi, com voz grave e sonora, quase sem deter o riso. — Nástienka querida, eu sei que falo de maneira maravilhosa, mas desculpe: não sei falar de outro modo. Agora, querida Nástienka, agora pareço o espírito do rei Salomão, que ficou mil anos numa caixa lacrada com sete selos, os quais foram finalmente retirados. Agora, querida Nástienka, quando nos encontramos novamente depois de tão longa separação — porque eu a conheço há muito tempo, Nástienka, porque há muito tempo procurava alguém, e isto é um sinal de que procurava justamente a senhorita e que estávamos fadados a nos encontrar neste momento —, agora em minha cabeça abriram-se milhares de válvulas e tenho de me derramar feito um rio de palavras, senão ficarei sufocado. Assim, peço que não me interrompa, Nástienka, mas que escute de forma doce e resignada; de outro modo, me calarei.

— Não, não, não! De modo algum! Fale! Agora não direi uma palavra.

— Continuo. Existe uma hora do dia, minha amiga Nástienka, que eu amo extraordinariamente. É aquela hora em que terminam quase todos os negócios, obrigações e compromissos, e todos se apressam para casa a fim de jantar e deitar-se para descansar; e ainda no caminho eles inventam outros temas alegres para a tarde, a noite e todo o tempo livre restante. Nesta hora o nosso herói... Permita-me, pois, Nástienka, contar na terceira pessoa, porque é terrivelmente vergonhoso contar tudo isso na primeira pessoa. Assim, nesta hora o nosso herói, que também não estava à toa, segue os outros. Mas uma estranha sensação de contentamento cintila em seu rosto pálido e um pouco enrugado. Ele não olha com indiferença para o crepúsculo vespertino, que lentamente se apaga no céu frio de Petersburgo. Quando digo "olha", estou mentindo: ele não olha, mas contempla como que inconscientemente, como se estivesse cansado ou ocupado naquela mesma hora com alguma outra coisa, um objeto mais interessante; tanto que apenas de modo fugaz, quase sem querer, ele pode conceder tempo a tudo em redor. Está contente porque acabou, até o dia seguinte, com os *negócios*, que para ele são enfadonhos, e está feliz como um estudante que acabaram de liberar do período escolar para os jogos e travessuras preferidos. Olhe furtivamente para ele, Nástienka: verá de imediato que a sensação de alegria já agiu de modo favorável sobre seus nervos débeis e sobre a fantasia morbidamente excitada. Então ele pensou em algo... Acha que é no jantar? Na tarde de hoje? O que ele tanto olha? Para aquele senhor de aspecto respeitável, que saúda de maneira pitoresca a dama que passa à sua frente numa brilhante carruagem com cavalos velozes? Não, Nástienka, pois agora não lhe interessam essas miudezas! Agora ele é rico de *sua própria* vida; de algum modo ficou rico de repente, e não foi em vão que um raio de despedida do sol que se apaga apareceu tão alegremente diante dele e despertou em seu coração um enxame inteiro de sensações. Agora ele quase não repara naquele caminho no qual antes a mais simples miudeza podia chocá-lo. Agora a "deusa fantasia" (se a senhorita leu Jukóvski,[10] querida Nástienka) já teceu com mão caprichosa sua trama dourada e foi traçar diante dele os arabescos de uma vida fabulosa, excêntrica, e, quem sabe, talvez o tenha transportado, com sua mão caprichosa, da calçada de granito magnífico pela qual ele volta para casa, ao sétimo céu de cristal. Tente detê-lo agora, pergunte-lhe subitamente: onde está agora? Por que ruas andou? Decerto ele não se lembraria de nada: nem por onde andou, nem onde está agora. E, enrubescido de despeito, inventaria alguma coisa para salvar as conveniências. Aí está por que ele tremeu tanto, quase gritou e olhou ao redor com espanto quando uma velhinha muito respeitável deteve-o de modo cortês, no meio da calçada, e começou a indagá-lo sobre o caminho que ela havia perdido. Franzindo o cenho de despeito, ele segue adiante quase sem perceber

---

[10] O narrador faz alusão ao poema "Minha deusa" (1809), de V. A. Jukóvski (1783-1852). (N. da E.)

que mais de um transeunte sorriu ao vê-lo e voltou-se para segui-lo com o olhar, e que uma menininha, que timidamente lhe deu passagem, começou a rir sonoramente depois de fitar com olhos arregalados o seu largo sorriso contemplativo e os gestos de suas mãos. Mas aquela mesma fantasia arrebatou tudo em seu voo jovial: a velhinha, os transeuntes curiosos, a menina que ria e os sujeitos que jantavam ali, em suas barcas que enchiam o Fontanka (suponhamos que nesta hora passasse por ali o nosso herói); maliciosamente ela envolveu em sua trama a tudo e a todos, como moscas na teia de aranha; e com esta nova conquista o excêntrico foi para sua toca consoladora, já sentou-se para jantar, já terminou de comer e só voltou a si quando a pensativa e eternamente taciturna Matriôna, que lhe servia, já recolhera tudo da mesa e lhe dera o cachimbo; ele despertou e com surpresa percebeu que já havia acabado de jantar por completo, sem absolutamente se dar conta de como isso acontecera. No quarto a escuridão, em sua alma o vazio e a tristeza; um reino inteiro de sonhos desmoronara ao seu redor, desmoronara sem deixar vestígio, sem ruído e estrondo, passou como um devaneio, e ele mesmo não se lembra do que sonhou. Mas uma sensação obscura, que agitou seu peito com leves pontadas, um desejo novo e sedutor faz cócegas e provoca sua fantasia, invocando furtivamente um enxame inteiro de novos espectros. No pequeno quarto reina o silêncio; o isolamento e a indolência acariciam-lhe a imaginação; esta se inflama levemente, e levemente começa a ferver, tal como a água na cafeteira da velha Matriôna, que, impassível, ocupa-se ali ao lado, na cozinha, preparando seu café caseiro. E eis que a imaginação se desgarra em leves explosões, e um livro apanhado sem propósito e ao acaso cai das mãos do meu sonhador, sem que ele tenha alcançado a terceira página. Sua imaginação está novamente afinada, excitada, e de repente outra vez um mundo novo, uma vida nova e encantadora brilha diante dele em sua perspectiva radiante. Um novo sonho é uma nova felicidade! Uma nova dose de veneno delicado e sensual! Oh, que lhe importa nossa vida real! Para seu olhar seduzido, Nástienka, a senhorita e eu vivemos de forma tão indolente, vagarosa e débil; para seu olhar, somos todos tão infelizes com nosso destino, padecemos tanto em nossa vida! E realmente, veja como de fato, logo à primeira vista, tudo entre nós é frio, sombrio, irritante mesmo... "Coitados!" — pensa o meu sonhador. E não é de admirar que pense isso! Veja esses espectros mágicos, que de forma tão encantadora, tão caprichosa, tão ilimitada e ampla se formam diante dele num quadro tão mágico e animado, onde no primeiro plano, como primeiro personagem, está, é claro, ele mesmo, o nosso sonhador em sua estimada pessoa. Veja que incidentes variados, que enxame infinito de ilusões exaltadas. Talvez a senhorita pergunte: com que ele sonha? Mas para quê perguntar isso!? Ora, com tudo... com o papel de um poeta inicialmente não reconhecido mas depois coroado; com a amizade de Hoffmann;[11] a noite de São Bartolomeu;[12] Diana Vernon;[13] com o papel de herói na tomada de Kazan por Ivan Vassílievitch;[14] Clara Mowbray;[15] Effie Deans;[16] Huss diante do Concílio dos Pre-

[11] E. T. A. Hoffmann (1776-1822), um dos maiores escritores do Romantismo alemão. (N. do T.)

[12] Matança de huguenotes pelos católicos ocorrida em 24 de agosto de 1572, em Paris. Esse acontecimento serviu de base para diversas obras literárias, como o romance *A rainha Margot* (1845), de Alexandre Dumas (1802-1870). (N. do T.)

[13] Personagem do romance *Rob Roy* (1817), de Walter Scott (1771-1832). (N. da E.)

[14] Ivan, o Terrível, considerado o mais cruel tsar russo. O acontecimento citado ocorreu em outubro de 1553, após um violento cerco que durou cerca de um mês e meio. (N. da E.)

[15] Personagem do romance *St. Ronan's Well* (1823), de Walter Scott. (N. da E.)

[16] Personagem do romance *The Hearth of Mid-Lothian* (1818), de Walter Scott. (N. da E.)

lados;[17] a insurreição dos mortos em *Roberto* (lembra-se da música? cheira a cemitério!);[18] com Minna e Brenda;[19] a batalha de Beresina;[20] a leitura de um poema na casa da condessa V...a D...a;[21] Danton;[22] Cleópatra e *i suoi amanti*;[23] a casinha de Kolomna,[24] seu recanto, e ao lado a criatura querida que o escuta numa tarde de inverno com a boquinha e os olhinhos abertos, tal como a senhorita me escuta agora, meu pequeno anjo... Não, Nástienka, que importa a ele, que importa a ele, a esse ocioso sensual, nesta vida que a senhorita e eu queremos? Pensa que é uma vida pobre, penosa, sem adivinhar que talvez algum dia lhe soará uma hora triste em que,

[17] Jan Hus, reformador religioso tcheco e inspirador de um movimento nacional de libertação de seu país. Entrou em conflito com o Papa e com o imperador alemão. Foi considerado herege pelo Concilio de Constança e condenado à morte na fogueira em 1414. (N. da E.)

[18] *Roberto, o diabo* (1831), ópera de Giacomo Meyerbeer (1791-1864). O narrador faz alusão ao tema musical lúgubre da cena em que transcorre o exorcismo das almas. Essa ópera foi apresentada em São Petersburgo por uma companhia alemã, em 1843, sendo bastante ovacionada na época. (N. da E.)

[19] Possíveis referências, respectivamente, ao poema *Mina* (1818), de V. A. Jukóvski, e a uma balada romântica de I. I. Kozlov (1779-1840). (N. da E.) Pode também tratar-se de duas personagens do romance *The Pirate* (1821), de Walter Scott. (N. do T.)

[20] Batalha ocorrida em fins de 1812 e que selou a vitória da Rússia sobre as tropas de Napoleão. (N. da E.)

[21] Talvez Iekaterina Románova Vorontsova-Dachkova (1743-1810), que presidiu a Academia de Ciências e a Academia Russa. No biênio 1783-84, por iniciativa sua, foi fundada a revista *O Interlocutor dos Amantes da Língua Russa*. (N. da E.)

[22] Georges Jacques Danton (1759-1794), ativista da Revolução Francesa. (N. da E.)

[23] Mote do poema "Noites egípcias", que integra a novela de mesmo nome, de A. S. Púchkin (1799-1837). (N. da E.)

[24] Título de poema de Púchkin. (N. da E.)

em troca de um só dia desta vida triste, ele dará todos os seus anos de fantasia, e nem será pela alegria ou pela felicidade, e nem mesmo vai querer escolher nessa hora de tristeza, arrependimento e dor desenfreada. Mas por enquanto ela ainda não chegou, essa hora terrível; e ele não deseja nada porque está acima dos desejos, porque tem tudo consigo, porque está saciado, porque ele é o próprio artista de sua vida e a cria a cada momento segundo um novo arbítrio. E tão fácil e naturalmente cria-se esse mundo fantástico, fabuloso! Como se tudo isso realmente não fosse um espectro! É verdade, a qualquer momento está pronto a acreditar que toda essa vida não é a excitação de um sentimento, não é uma miragem, não é um engano da imaginação, mas que isto é de fato real, presente, existente! Mas diga por que razão, Nástienka, por que nesses momentos o espírito se oprime? Por quê, por qual magia, por que arbítrio misterioso o pulso se acelera, saltam lágrimas dos olhos do sonhador, ardem suas faces pálidas, úmidas, e toda a sua existência se enche de um júbilo tão irresistível? Por que noites inteiras de insônia passam como um instante, numa alegria e numa felicidade inesgotáveis, e quando a aurora brilha com um raio rosado nas janelas e o amanhecer ilumina o quarto sombrio com sua luz incerta e fantástica, como a que temos em Petersburgo, o nosso sonhador, fatigado e atormentado, lança-se ao leito e esmorece com uma dor tão doce e atordoante no coração, por causa do entusiasmo de seu espírito doentiamente abalado? Sim, Nástienka, nós nos enganamos e sem querer acreditamos que uma paixão autêntica e verdadeira turva nossa alma, sem querer acreditamos que há algo vivo, palpável, em nossas ilusões imateriais! E veja que engano: eis, por exemplo, que o amor entrou em seu peito com toda sua alegria inesgotável, com todos os seus suplícios fatigantes... Apenas olhe para ele e se convença! A senhorita acredita, Nástienka querida, ao vê-lo, que ele nunca conheceu aquela que tanto amou em seus sonhos frenéticos? Será possível que só tenha visto alguns fantasmas

Noites brancas 39

sedutores, que só tenha sonhado com essa paixão? Será que de fato eles não passaram de mãos dadas tantos anos de suas vidas, a sós, os dois, separados do mundo todo e unindo cada um o seu mundo, a sua vida, com a vida do outro? Não terá sido ela quem, numa hora tardia, quando chegou o momento da separação, não terá sido ela que estava deitada no peito dele, soluçando e sofrendo, sem perceber a tempestade que se desencadeava sob o céu áspero, sem perceber o vento que arrancava e arrastava lágrimas de seus cílios negros? Será que tudo isso foi um sonho; esse jardim melancólico, abandonado e selvagem, com aleias cobertas de musgo, isolado e sombrio, onde eles andaram juntos tantas vezes, esperançosos, angustiados, amando e amando um ao outro por tanto tempo, "tão longa e ternamente"? E essa casa estranha e ancestral, na qual ela viveu tanto tempo triste e solitária, com o marido velho e sombrio, sempre calado e irascível, que os assustava, tímidos como crianças que melancólica e temerosamente ocultavam um do outro o seu amor? Como se atormentavam, como tinham medo, como era ingênuo e puro o seu amor e como (já percebe, Nástienka) as pessoas eram más! E será, meu Deus, que ele não a encontrou depois, longe das fronteiras de sua pátria, sob um céu estrangeiro, meridional, caloroso, na maravilhosa cidade eterna, no esplendor de um baile, ao som da música, num *palazzo* (sem dúvida num *palazzo*), afogado num mar de chamas, nesse balcão coberto de mirto e rosas, onde ela, ao reconhecê-lo, tirou depressa sua máscara e, depois de sussurrar "Estou livre", começou a tremer e lançou-se aos braços dele gritando de entusiasmo; e, apertados um contra o outro, num instante esqueceram a dor, a separação, todos os tormentos, a casa sombria, o velho, o jardim lúgubre na pátria distante e o banco no qual ela, com um último beijo apaixonado, escapara de seus braços dormentes numa angústia cruel... Oh, convenha, Nástienka, que era para sair voando, desconcertar-se e enrubescer como um colegial que acabara de meter no bolso uma maçã roubada do jardim vizinho, quando algum rapaz alto e saudável, divertido e gozador, um seu colega não convidado, abre a porta do seu quarto e grita como se nada tivesse acontecido: "Sou eu, irmão, cheguei neste momento de Pavlóvski!". Meu Deus! O velho conde está morto; será uma felicidade indizível — e essa gente chegando de Pavlóvski!

Calei-me pateticamente após terminar minhas patéticas exclamações. Lembro-me que tinha uma terrível vontade de romper em gargalhadas de qualquer modo, pois já sentia que em mim começava a remover-se algum diabinho hostil, que minha garganta começava a ficar presa, o queixo a contrair-se, e que mais e mais os meus olhos se umedeciam... Esperava que Nástienka, que me escutava com seus olhinhos inteligentes abertos, rompesse em gargalhadas com seu riso infantil e irresistivelmente alegre, e já me arrependia de ter ido tão longe, de ter contado em vão aquilo que há tanto tempo se acumulara em meu coração, aquilo sobre o que eu podia falar como se lesse um livro, porque há muito tempo tinha preparado a sentença sobre mim mesmo, e agora, confesso, não me abstive de lê-la, mesmo sem esperar que me entendessem; mas, para minha surpresa, ela ficou calada, pouco depois apertou-me ligeiramente as mãos e com tímida simpatia perguntou:

— Será possível que o senhor tenha de fato passado assim toda sua vida?

— Toda a vida, Nástienka — respondi —, toda a vida, e parece que assim terminarei!

— Não, isto não pode ser — disse ela inquieta —, não será assim; dessa maneira, talvez, eu é que passarei toda a vida ao lado de minha avó. Escute, mas sabe que não é bom viver assim?

— Sei, Nástienka, sei! — gritei, sem conter mais o meu sentimento. — E agora sei mais do que nunca que perdi inutilmente todos os meus melhores anos! Agora eu sei e o sinto ainda mais dolorosamente por ter tal consciência, porque o próprio Deus me enviou a senhorita, o meu bom anjo, para me dizer e provar isso. Agora, quando estou sentado ao seu lado e falo consigo, tenho medo de pensar no futuro, pois no futuro está novamente a solidão, novamente esta vida inútil e cheirando a mofo; e com o quê vou sonhar se, desperto, fui tão feliz a seu lado? Oh, bendita seja a senhorita, minha querida, por não ter me rejeitado logo na primeira vez, porque agora posso dizer que vivi ao menos duas noites em minha vida!

— Oh, não, não! — gritou Nástienka, e pequenas lágrimas brilharam em seus olhos. — Não será mais assim, não vamos nos separar assim! O que são duas noites?

— Oh, Nástienka, Nástienka! A senhorita sabe que me reconciliou por muito tempo comigo mesmo? Sabe que agora já não penso tão mal de mim mesmo como pensava em certos momentos? Sabe que, talvez, eu já não vá mais sofrer por ter cometido um crime e um pecado, pois uma vida assim é um crime e um pecado? E não pense que exagerei algo; pela graça de Deus, não pense isto, Nástienka, porque às vezes sou tomado por momentos de tanta tristeza, de tanta tristeza... Porque nesses momentos já começa a me parecer que nunca serei capaz de começar a viver uma vida autêntica; porque já me parecia que eu tinha perdido todo o tato, toda noção do autêntico, do real; porque, enfim, eu maldizia a mim mesmo; porque depois de minhas noites fantásticas sou logo tomado por terríveis momentos de desilusão! Entretanto, sente-se que ao redor gira e ressoa uma multidão de pessoas no turbilhão da vida; sente-se, vê-se como as pessoas vivem: vivem de verdade; vê-se que a vida para elas não é proibida, que a vida delas não se dissipa como um sonho, como uma visão; que a vida delas se renova eternamente, é eternamente jovem, e que nenhuma de suas horas se assemelha a outra, ao passo que é triste e monótona até à vulgaridade a fantasia tímida, escrava de uma sombra, de uma ideia, escrava da primeira nuvem que cobrir de repente o sol e oprimir de tristeza o autêntico coração petersburguense, que tanto aprecia o seu sol — e que fantasia pode haver na tristeza! Sente-se que ela, essa fantasia *inesgotável*, finalmente se cansa, enfraquece numa tensão eterna, pois você amadurece, abandona seus antigos ideais: estes se desfazem em pó, em pedaços; se não há outra vida, então é preciso construí-la a partir desses pedaços. E no entanto, é uma outra coisa que a alma pede e quer! E em vão o sonhador remexe, como que nas cinzas, em seus velhos sonhos, procurando nessas cinzas ao menos uma centelha para soprá-la e, através do fogo renovador, aquecer o coração esfriado e ressuscitar novamente nele tudo o que antes era tão belo, que tocava a alma, que fazia o sangue fervilhar, que arrancava lágrimas dos olhos e que iludia com tanta perfeição! Sabe a que ponto cheguei, Nástienka? Sabe que já estou obrigado a celebrar o aniversário de minhas sensações, o aniversário daquilo que antes era tão belo, daquilo que na realidade nunca aconteceu — porque esse aniversário é celebrado em memória daqueles mesmos sonhos tolos e incorpóreos —, e devo fazer isto porque esses sonhos tolos não existem, pois não há nada para substituí-los, e os sonhos devem ser substituídos! Sabe que agora, em certos dias, gosto de lembrar e visitar aqueles lugares onde um dia fui feliz do meu jeito; gosto de construir meu presente de acordo com o que é irremediavelmente passado e sempre vagueio como uma sombra, sem necessidades e sem objetivos, melancólico e triste pelas ruas e pelos becos petersburguenses? Que recordações! Lembrar-me, por exemplo, que um ano atrás, exatamente aqui, exatamente nesta época, nesta mesma hora, por esta mesma calçada eu vagava tão sozinho e tão melancólico como agora! E lembrar-me que os sonhos de então eram tristes, e embora não fosse melhor, de algum modo sentia que viver era mais fácil, mais tranquilo, que não havia esse pensamento negro que agora se apegou a mim; que não havia esses remorsos, esses remorsos lúgubres e sombrios que agora não dão descanso nem de dia nem de noite. E me pergunto: onde é que estão os seus sonhos? E balançando a cabeça, digo: como os anos voam depressa! E novamente me pergunto: mas o que você fez dos seus anos? Onde sepultou a sua melhor época? Você viveu ou não? Veja, digo a mim mesmo, veja como o mundo está ficando frio. Ainda passarão anos, e atrás deles virá a solidão sombria, virá a velhice trêmula com uma bengala, e atrás dela a tristeza e a melancolia. O seu mundo fantástico empalidecerá, os seus sonhos ficarão paralisados, sem vida e cairão como as folhas amarelas das árvores... Oh, Nástienka! Será tão triste ficar sozinho, absolutamente sozinho, e não ter sequer o que lamentar: nada, absolutamente nada... pois tudo o que se perdeu, tudo aquilo era nada, um zero estúpido e redondo; era só um sonho!

— Vamos, não me deixe mais compadecida! — disse Nástienka, enxugando uma pequena lágrima que caiu de seus olhos. — Agora acabou! Agora ficaremos juntos; agora o que quer que aconteça comigo, nós nunca nos separaremos. Escute. Sou uma moça simples, estudei pouco, apesar de minha avó ter me contratado um professor; mas, é verdade, eu o entendo, porque tudo o que o senhor me relatou agora eu mesma vivi quando a avó me prendeu ao seu vestido. Claro, eu não contaria tão bem como o senhor contou; eu não estudei — acrescentou ela timidamente, porque sentia ainda um certo respeito por meu discurso patético e meu estilo elevado —, mas estou muito feliz pelo senhor ter-se aberto completamente para mim. Agora eu o conheço totalmente, sei tudo. E sabe de uma coisa? Quero contar-lhe a minha história, toda, com franqueza, e depois disso o senhor me dará um conselho. O senhor é um homem muito inteligente; promete que me dará esse conselho?

— Ah, Nástienka — respondi —, eu nunca fui conselheiro, muito menos um conselheiro inteligente; mas agora vejo que se nós vamos viver sempre assim, então de certo modo será muito inteligente que cada um dê ao outro muitos conselhos inteligentes! Bem, minha boa Nástienka, de que conselho precisa? Diga-me diretamente; agora estou tão feliz, ousado e inteligente que a resposta estará na ponta da língua.

— Não, não! — interrompeu Nástienka, rindo. — Não preciso de um conselho inteligente; preciso de um conselho de coração, de irmão, como se o senhor já me amasse por toda a vida!

— Vamos, Nástienka, vamos! — gritei de entusiasmo.

— E se eu a amasse já há vinte anos, ainda assim não amaria mais do que agora!

— Sua mão! — disse Nástienka.

— Aqui! — respondi, dando-lhe a mão.

— Pois bem, comecemos a minha história!

A história de Nástienka

— Metade da história o senhor já conhece; quer dizer, sabe que tenho uma velha avó...

— Se a outra metade é tão curta, então... — interrompi, rindo.

— Cale-se e escute. Antes de tudo, uma condição: não me interrompa, senão me atrapalho. Bem, escute calmamente.

"Tenho uma velha avó. Fui para sua casa quando era ainda uma menina muito pequena, porque minha mãe e meu pai tinham morrido. É de pensar que antes minha avó era rica, porque hoje se recorda de dias melhores. Ela me ensinou francês e depois contratou-me um professor. Quando eu tinha quinze anos (agora tenho dezessete) parei de estudar. Foi nessa época que fiz uma travessura; o que eu fiz não vou lhe dizer, basta saber que o delito era pequeno. Uma manhã a avó me chamou e disse que, como era cega, não podia me vigiar; então pegou um alfinete e prendeu meu vestido ao dela, dizendo que ficaríamos assim a vida toda se, entenda-se, eu não me comportasse melhor. Numa palavra, nos primeiros tempos não havia como me afastar: era trabalhar, ler, estudar, tudo ao lado da avó. Uma vez tentei usar de astúcia e convenci Fiokla a ficar no meu lugar. Fiokla é nossa criada; ela é surda. Fiokla tomou o meu lugar numa hora em que a avó adormeceu, e eu fui à casa de uma amiga ali perto. Mas a coisa acabou mal. A avó despertou e perguntou algo, pensando que eu estava calmamente sentada no lugar. Fiokla viu que a avó estava perguntando, mas não entendia o quê; ficou pensando e pensando no que fazer e então soltou o alfinete e deitou a correr..."

Aqui Nástienka deteve-se e começou a gargalhar. Comecei a rir junto com ela. Imediatamente ela parou.

— Escute, não ria da minha avó. Estou rindo porque é engraçado... O que fazer se a avó é realmente assim? E só eu, apesar de tudo, gosto dela um pouquinho. Bem, na ocasião me custou caro: fui imediatamente colocada de volta no meu lugar e não pude mais me mexer nem um bocadinho.

"Ah, sim, esqueci de dizer ainda que nós temos, isto é, a avó tem uma casa; isto é, uma pequena casinha, três janelas ao todo, inteiramente de madeira e tão velha como a avó; em cima há um mezanino; e então mudou-se para o mezanino um novo hóspede..."

— Quer dizer que antes havia um outro? — observei de passagem.

— Claro, havia — respondeu Nástienka —, e sabia ficar calado melhor do que o senhor. Na verdade, ele quase não mexia a língua. Era um velhote seco, mudo, cego, coxo, tanto que enfim já não podia viver no mundo e morreu; então precisávamos de um outro inquilino, pois não podemos viver sem inquilino: isto, e mais a pensão da avó, é quase todo o nosso rendimento. O novo inquilino, como que de propósito, era um homem jovem, um forasteiro que estava de passagem. Uma vez que não discutiu o preço, a avó aceitou, mas depois perguntou: "E então, Nástienka, nosso inquilino é jovem ou não?". Eu não queria mentir: "Assim, vovó, digo, não é absolutamente jovem, mas também não é velho". "Bem, e é de aparência agradável?", perguntou a avó.

"Outra vez não quis mentir: 'Sim, digo, de aparência agradável, vovó!'. A avó disse: 'Ah! Um castigo, um castigo! Eu lhe digo isto, minha neta: não fique olhando para ele. Que século, este! Ora essa, um inquilino tão pobre, mas de aparência agradável; antigamente não era assim!'.

"Para a avó, tudo era antigamente! Ela era mais jovem antigamente, o sol era mais quente antigamente, as natas de leite não azedavam tão depressa antigamente; tudo antigamente! Então fiquei sentada e calada, pensando comigo: o que será que a avó está sugerindo ao perguntar se o inquilino é jovem e de boa aparência? Mas apenas pensei, e logo comecei outra vez a contar os pontos, a tecer as meias e depois esqueci completamente daquilo.

"Certa vez, pela manhã, o inquilino veio nos perguntar sobre a promessa que lhe fizéramos de forrar seu quarto com papel de parede. Uma palavra puxa outra, e a avó é tagarela, então disse: 'Vá ao meu quarto, Nástienka, e traga o ábaco'. Eu me levantei imediatamente, toda corada, não sei por quê, e esqueci que estava presa; ao invés de soltar o alfinete discretamente para que o inquilino não percebesse, dei um salto de tal modo que a poltrona da avó veio junto comigo. Ao ver que o inquilino agora sabia tudo sobre mim, fiquei corada, pregada no lugar, e de repente comecei a chorar; fiquei tão envergonhada e amargurada que tive vontade de sumir! A avó gritou: 'Por que está aí parada?', e eu ainda pior... O inquilino, vendo aquilo, percebeu que eu me envergonhava por sua causa, despediu-se e saiu imediatamente!

"Desde então, ao menor ruído no teto eu ficava como morta. Pensava logo que era o inquilino que vinha e discretamente soltava o alfinete. Só que não era; ele não vinha. Passaram-se duas semanas; o inquilino mandou dizer através de Fiokla que tinha muitos livros franceses, que eram livros bons e podiam ser lidos, e perguntar se a avó não gostaria que eu os lesse para ela a fim de passar o tempo. A avó concordou agradecida, apenas perguntou se os livros eram decentes ou não, pois se fossem indecentes, disse, então você não pode ler, Nástienka, porque aprenderá coisas feias."

— O que é que vou aprender, vovó? O que esses livros dizem?

— Ah! — disse. — Eles contam como os jovens seduzem as moças de bem; como, sob o pretexto de quererem desposá-las, tiram-nas da casa dos pais e logo depois abandonam essas moças desgraçadas ao capricho do destino, e elas padecem da maneira mais deplorável. Eu — disse a avó — li muitos livros assim, e tudo é escrito de forma tão bela que você passa a noite a ler. Então você, Nástienka — disse ela —, veja, não os leia. Mas que livros são esses que ele emprestou?

— São só romances de Walter Scott, vovó.

— Romances de Walter Scott! Mas não haverá aí algum galanteio? Veja lá, será que ele não pôs aí algum bilhetinho de amor?

— Não, vovó — digo —, nenhum bilhete.

— Mas olhe debaixo da encadernação; às vezes eles colocam na encadernação, esses bandidos!

— Não, vovó, debaixo da encadernação não há nada.

— Pois então está bem!

"Daí começamos a ler Walter Scott, e em cerca de um mês tínhamos lido quase a metade. Depois ele mandou ainda mais. Mandou Púchkin, e no final eu já não podia mais ficar sem livros e até parei de pensar que ia me casar com o príncipe chinês.

"As coisas estavam assim quando certa vez aconteceu de eu me encontrar com nosso inquilino na escada. A avó tinha me mandado fazer algo. Ele parou, eu corei; ele também corou, mas no entanto começou a rir, cumprimentou-me, perguntou sobre a saúde da avó e disse: 'E então, leu os livros?'. Eu respondi: 'Li'. 'E de qual gostou mais?', disse. E eu: 'Gostei mais de *Ivanhoé* e Púchkin'. E dessa vez terminou assim.

"Uma semana depois topei novamente com ele na escada. Desta vez a avó não tinha mandado, mas eu mesma precisava de algo. Passava das duas horas, e o inquilino chegava à casa nessa hora. 'Boa tarde!', disse ele. E eu: 'Boa tarde!'.

— E então — disse —, a senhorita não se aborrece de ficar sentada o dia inteiro com sua avó?

"Logo que ele me perguntou isso eu corei, não sei por quê; fiquei envergonhada e novamente ofendida, sem dúvida pelo fato de que os outros já começavam a perguntar a respeito daquilo. Eu queria sair sem responder, mas não tive forças."

— Escute — disse ele —, a senhorita é uma boa moça! Desculpe por lhe falar assim, mas asseguro que lhe desejo o bem mais do que sua avó. A senhorita não tem nenhuma amiga a quem possa visitar?

"Disse que não tinha nenhuma, que tivera uma, Máchenka,[25] mas que ela tinha partido para Pskov."

— Escute — disse —, quer ir comigo ao teatro?

— Ao teatro? Mas e minha avó?

— Ora — disse ele —, escondida da avó...

— Não, não quero enganar a avó. Adeus!

— Bem, adeus — disse ele, e não acrescentou mais nada.

"Logo depois do almoço ele veio até nós; sentou-se, conversou por muito tempo com a avó, perguntou se ela saía para algum lugar, se tinha conhecidos, e de repente disse: 'Hoje comprei um camarote para a ópera; estão apresentando *O barbeiro de Sevilha*.[26] Uns conhecidos meus queriam ir, mas desistiram, e eu fiquei com o bilhete na mão'."

— *O barbeiro de Sevilha*! — gritou a avó. — Mas é aquele mesmo *Barbeiro* que apresentavam antigamente?

---

[25] Diminutivo de Maria. (N. do T.)

[26] *O barbeiro de Sevilha* (1816), célebre ópera de Giacomo Antonio Rossini (1792-1868) sobre comédia de Beaumarchais. (N. do T.)

— Sim — disse ele —, aquele mesmo *Barbeiro* — e deu uma olhada para mim. Eu já entendera tudo; corei, e meu coração começou a pular de esperança!

— Mas como — disse a avó —, como não conhecer? No passado eu mesma representei Rosina no teatro de nossa casa!

— E não quer ir hoje? — disse o inquilino. — Senão, meu bilhete não servirá para nada.

— Sim, certamente iremos — disse a avó. — Por que não ir? Afinal, minha Nástienka nunca esteve num teatro.

"Meu Deus, que alegria! Imediatamente nos arrumamos, nos preparamos e partimos. A avó, apesar de cega, queria ouvir a música, e além disso é uma boa velhinha: mais do que tudo ela queria me entreter; nunca teríamos ido por nós mesmas. Que impressão tive do *Barbeiro de Sevilha* eu não lhe direi; digo apenas que durante toda aquela noite nosso inquilino me olhava de maneira tão agradável, falava de maneira tão agradável, que vi imediatamente que pela manhã quisera me pôr à prova, quando propôs que eu saísse sozinha com ele. Mas que alegria! Fui me deitar tão orgulhosa, tão contente, o coração batendo tanto, que tive um pouco de febre e delirei a noite toda com o *Barbeiro de Sevilha*.

"Eu pensava que depois disso ele viria com mais e mais frequência, mas não foi assim. Ele parou de vir quase totalmente. Apenas uma vez por mês aparecia para nos convidar ao teatro. Depois, fomos de novo duas vezes. Mas então eu não estava totalmente feliz. Vi que ele simplesmente tinha pena de mim pelo fato de eu estar presa daquele jeito à avó, e mais nada. Quanto mais o tempo passava, mais me irritava: não podia ficar sentada, não podia ler, não podia trabalhar; às vezes ria e fazia algo para irritar a avó, outras vezes simplesmente chorava. Por fim, emagreci e quase fiquei doente. A temporada de ópera passou, e o inquilino parou de nos visitar; quando nos encontrávamos — sempre naquela escada, naturalmente —, cumprimentava tão calado, tão sério, como se não quisesse falar; e quando ele já estava no patamar, eu ainda estava na metade da escada, vermelha como uma cereja, porque todo o meu sangue começava a subir para a cabeça quando o encontrava.

"Já estou quase no fim. Exatamente há um ano, no mês de maio, o inquilino apareceu e disse à avó que já resolvera seus negócios aqui e tinha de partir novamente para Moscou, por um ano. Ao ouvir isso, empalideci e caí na cadeira como morta. A avó não percebeu nada, e ele, depois de declarar que nos deixava, despediu-se de nós e saiu.

"O que faço? Pensei, pensei; sofri, sofri, e enfim tomei uma decisão. Ele partiria no dia seguinte, e eu decidi que resolveria tudo à noite, quando a avó fosse dormir. E assim aconteceu. Juntei numa trouxa tudo quanto era vestido, toda a roupa-branca de que precisava e, com a trouxa nas mãos, mais morta do que viva, subi para o mezanino. Acho que levei uma hora para subir a escada. Quando abri sua porta, ele soltou um grito ao me ver, pensando que eu era um fantasma, e correu para me dar água, pois mal me mantinha de pé. Meu coração batia tanto que a cabeça doía, e minhas ideias estavam confusas. Quando voltei a mim, comecei logo por colocar minha trouxa em sua cama, sentei-me ao lado, cobri o rosto com as mãos e me desfiz em lágrimas. Ele, ao que parece, entendeu tudo num instante e ficou parado diante de mim, pálido, olhando-me de uma forma tão triste que meu coração se despedaçou."

— Escute — começou ele —, escute, Nástienka, não posso fazer nada; sou um homem pobre, por enquanto não tenho nada, nem mesmo um cargo satisfatório. Como iríamos viver se me casasse com a senhorita?

"Conversamos por muito tempo, e no fim me exasperei, disse que não podia viver com a avó, que fugiria dela, que não queria que me prendessem com um alfinete e que, quisesse ele ou não, eu o acompanharia até Moscou, pois sem ele não podia viver. Vergonha, amor, orgulho: tudo falava em mim ao mesmo tempo, e por pouco não caí na cama em convulsões. Tinha tanto medo de uma recusa!

"Ele permaneceu sentado e calado alguns minutos, depois se levantou, aproximou-se de mim e tomou-me a mão."

— Escute, minha boa, minha querida Nástienka! — começou ele entre lágrimas. — Escute. Juro-lhe que se algum dia eu estiver em condições de me casar, sem dúvida a senhorita fará a minha felicidade; asseguro-lhe que apenas a senhorita pode fazer a minha felicidade. Escute: vou para Moscou e lá ficarei exatamente um ano. Espero arranjar meus negócios. Quando voltar, e se a senhorita não deixar de me amar, juro-lhe que seremos felizes. Agora é impossível, eu não posso, não tenho o direito de prometer coisa alguma. Mas, repito, se dentro de um ano isto não acontecer, um dia acontecerá infalivelmente. É claro: no caso de a senhorita não preferir um outro, pois não quero nem me atrevo a prendê-la a uma palavra qualquer.

"Aí está o que ele me disse, e no dia seguinte partiu. Tínhamos estabelecido de comum acordo não dizer nenhuma palavra sobre isso à avó. Ele quis assim. Bem, e agora minha história está quase terminada. Passou exatamente um ano. Ele chegou, está aqui já há três dias e..."

— E o quê? — gritei, na impaciência de ouvir o final.

— E até agora não apareceu! — respondeu Nástienka, parecendo reunir todas as suas forças. — Nem sinal de vida...

Aqui ela parou, ficou calada um instante, baixou a cabeça e, de repente, levando as mãos ao rosto, começou a soluçar de tal maneira que o meu coração se revirou com aqueles soluços.

Eu não esperava de forma alguma semelhante desfecho.

— Nástienka! — comecei eu com voz tímida e cativante. — Nástienka! Por Deus, não chore! Como a senhorita sabe? Talvez não tenha chegado ainda...

— Está aqui, está aqui! — replicou Nástienka. — Ele está aqui, eu sei. Fizemos um acordo ainda naquela noite, na véspera da partida: quando já disséramos tudo aquilo que lhe relatei, fizemos o acordo de vir passear aqui, exatamente nesta marginal do rio. Eram dez horas, estávamos sentados neste banco, eu já não chorava; era doce ouvir o que ele dizia... Ele disse que logo depois da chegada viria à nossa casa e, se eu não o rejeitasse, diríamos tudo à avó. Agora ele chegou, eu sei disso, mas não veio, não veio!

E novamente rompeu em lágrimas.

— Meu Deus! Mas será que não se pode remediar essa desgraça? — gritei, saltando do banco totalmente desesperado. — Diga, Nástienka, será que eu não poderia ir até ele?...

— Será que isto é possível? — disse ela, levantando de repente a cabeça.

— Não, certamente não! — observei, corrigindo-me. — Mas isto sim: escreva uma carta.

— Não, isto é impossível, isto não pode ser! — respondeu decidida, mas logo baixou a cabeça sem olhar para mim.

— Como não pode ser? Por que não? — continuei, agarrado à minha ideia. — Sabe, Nástienka, não é uma carta qualquer! Há cartas e cartas... Ah, Nástienka, é isto! Confie em mim, confie! Não vou lhe dar um mau conselho. É possível resolver tudo isso! A senhorita já deu o primeiro passo, por que é que agora...

— Não pode ser, não pode ser! Seria como se eu implorasse...

— Ah, minha boa Nástienka! — interrompi-a, sem disfarçar o sorriso. — Não e não. Afinal, a senhorita tem o direito, pois ele lhe fez uma promessa. Sim, e a julgar por tudo, ele é um homem delicado, ele procedeu bem — continuei, entusiasmando-me mais e mais pela lógica dos meus próprios argumentos e convicções. — Como foi que ele procedeu? Ele se prendeu com a sua promessa. Disse que não se casaria com ninguém além da senhorita, caso viesse a se casar; já à senhorita ele deu plena liberdade para rejeitá-lo mesmo agora... Neste caso, a senhorita pode dar o primeiro passo; a senho-

Noites brancas

rita tem o direito, tem a vantagem de até mesmo, por exemplo, dispensá-lo da palavra dada, se assim quiser...

— Escute, como o senhor escreveria?

— O quê?

— Ora, essa carta.

— Eu escreveria assim: "Caro senhor..."

— É absolutamente necessário esse "Caro senhor"?

— Absolutamente! E por que não? Penso que...

— Certo, certo! Adiante!

— "Caro senhor! Perdoe-me se eu..." Bem, não, não é necessário nenhum perdão! Aqui o próprio fato justifica tudo; escreva simplesmente:

"Escrevo-lhe. Desculpe-me por minha impaciência, mas durante um ano inteiro estive inebriada de esperança; acaso sou culpada de não poder agora suportar sequer um dia de dúvida? Agora que o senhor chegou, talvez já tenha mudado suas intenções. Sendo assim, esta carta lhe dirá que eu não me queixo nem o culpo. Não o culpo por não ter domínio sobre o seu coração; este é o meu destino!

"O senhor é um homem nobre. Não rirá nem sentirá despeito por estas linhas impacientes. Lembre-se que são escritas por uma pobre moça, que essa moça está sozinha, que ela não tem ninguém para ensiná-la ou aconselhá-la e nunca soube dominar seu coração. Mas perdoe-me se em minha alma, ainda que por um instante, tenha pairado uma dúvida. O senhor é incapaz de ofender, mesmo que em pensamento, aquela que tanto o amou e ainda ama."

— Sim, sim! É exatamente assim que eu imaginava! — gritou Nástienka, e a alegria brilhou em seus olhos. — Oh! O senhor resolveu as minhas dúvidas; foi o próprio Deus que o enviou a mim! Eu lhe agradeço, agradeço!

— Por quê? Por Deus ter me enviado? — respondi, olhando com entusiasmo para o seu rostinho alegre.

— Sim, que seja por isso!

— Ah, Nástienka! De fato agradecemos a certas pessoas

apenas por viverem conosco. Eu lhe agradeço por ter me concedido este encontro, e porque vou me lembrar da senhorita por um século inteiro!

— Bem, basta, basta! E agora escute uma coisa: tínhamos combinado que, assim que ele chegasse, imediatamente avisaria deixando uma carta para mim num certo lugar, na casa de uns conhecidos meus, gente simples e bondosa que nada sabe sobre isto; ou, se não fosse possível escrever, visto que numa carta nem sempre se diz tudo, então no mesmo dia em que chegasse ele viria para cá, exatamente às dez horas, onde havíamos combinado de nos encontrar. De sua chegada eu já sei; mas este já é o terceiro dia e nada de carta nem dele. Sair de perto da avó pela manhã é impossível. Entregue minha carta o senhor mesmo àquela gente bondosa de quem lhe falei: eles logo a entregarão a ele; e, se houver resposta, o senhor mesmo a trará à noite, às dez horas.

— Mas e a carta, e a carta?! Antes é preciso escrever a carta! Talvez tudo isso só aconteça depois de amanhã.

— A carta... — respondeu Nástienka um pouco confusa — a carta... mas...

Mas ela não terminou de falar. Primeiro desviou de mim o seu rostinho, corou como uma rosa, e de repente senti em minha mão uma carta, pelo visto escrita há muito tempo, absolutamente pronta e selada. Uma recordação familiar, agradável e graciosa me passou pela cabeça!

— "R, o: Ro; s, i: si; n, a: na"[27] — comecei eu.

— "Rosina!" — ambos começamos a cantar; eu, quase a abraçando de entusiasmo; ela, corando tanto quanto possível e rindo em meio às lágrimas, que tremiam como pequenas pérolas em seus cílios negros.

— Bem, basta, basta! Agora adeus! — disse ela atrope-

---

[27] Referência à fala do personagem Fígaro no primeiro ato do *Barbeiro de Sevilha*. (N. do T.)

lando as palavras — Aqui está a carta, e aqui o endereço para onde levá-la. Adeus! Até a vista! Até amanhã!

Ela apertou-me ambas as mãos com força, saudou-me com a cabeça e fugiu como uma flecha para a sua viela. Fiquei muito tempo ali, parado, seguindo-a com o olhar.

"Até amanhã! Até amanhã!" — me veio à mente quando ela sumiu de meus olhos.

TERCEIRA NOITE

Hoje o dia foi triste, chuvoso, sem luz, exatamente como minha velhice futura. Fui oprimido por pensamentos tão estranhos e sensações tão sombrias, questões ainda tão obscuras acumulavam-se em minha cabeça, e era como se eu não tivesse forças nem vontade de resolvê-las. Não cabia a mim resolver tudo aquilo!

Hoje não nos veremos. Ontem, quando nos despedimos, nuvens começavam a cobrir o céu e erguia-se um nevoeiro. Eu disse que o dia seguinte seria feio; ela não respondeu, não queria falar contra si mesma: para ela, este dia seria luminoso e claro, e nenhuma nuvenzinha iria encobrir a sua felicidade.

— Se chover, não nos veremos! — disse ela. — Eu não virei.

Pensei que ela não se importaria com a chuva de hoje; no entanto, não veio.

Ontem foi o nosso terceiro encontro, nossa terceira noite branca...

Entretanto, como a alegria e a felicidade tornam bela uma pessoa! Como ferve de amor o coração! Parece que queremos derramar o coração inteiro num outro coração; queremos que tudo esteja contente, que tudo sorria. E como é contagiosa a alegria! Ontem havia tanto prazer nas palavras dela, tanta bondade para comigo em seu coração... Como ela cuidava de mim, como me acariciava, como animava e afagava meu coração! Oh, quanto coquetismo por causa da felicidade! E eu... Eu tomava tudo por coisa certa, pensava que ela...

Mas, meu Deus, como pude pensar isso? Como pude ser tão cego, quando tudo já fora tomado por outro e nada era meu; quando, enfim, até mesmo aquela sua ternura, seus cuidados, seu amor... sim, o seu amor por mim não era outra coisa senão a alegria pelo encontro iminente com outro, o desejo de me contagiar com a sua felicidade?... Como ele não veio, e esperamos em vão, ela franziu o cenho, ficou tímida e temerosa. Todos os seus movimentos, todas as suas palavras já ficaram menos suaves, joviais e alegres. E, coisa estranha, ela dobrou sua atenção para comigo, como se instintivamente desejasse derramar sobre mim o que desejava para si mesma, por temer que aquilo não se realizasse. Minha Nástienka ficou tão tímida, tão assustada que parecia ter entendido afinal que eu a amava e sentiu piedade do meu pobre amor. Pois quando estamos infelizes sentimos mais fortemente a infelicidade dos outros; o sentimento não se esfacela, mas sim concentra-se...

Fui até ela com o coração carregado e a duras penas aguardei o encontro. Não pressenti o que iria experimentar; não pressenti que tudo terminaria daquele jeito. Ela estava radiante, esperava uma resposta. A resposta era ele mesmo. Ele devia vir, acorrer ao seu chamado. Ela chegara uma hora antes de mim. Primeiro gargalhava por tudo, ria de qualquer palavra minha. Eu comecei a falar e me calei.

— Sabe por que estou tão feliz? — disse ela. — Tão feliz por ver o senhor? Sabe por que o amo tanto hoje?

— Bem? — perguntei, e meu coração começou a tremer.

— Amo o senhor por não ter se apaixonado por mim. Pois um outro, no seu lugar, começaria a perturbar e importunar, suspiraria e adoeceria, ao passo que o senhor é tão amável!

Aqui ela apertou tanto minha mão que quase gritei. Ela começou a rir.

— Deus! Que amigo é o senhor! — começou ela muito seriamente depois de um minuto. — Sim, Deus o enviou a mim! Bem, o que seria de mim se o senhor não estivesse comigo agora? Que desinteressado é o senhor! Como me quer bem! Quando eu me casar, seremos muito amigos, mais do que irmãos. Vou amá-lo quase tanto quanto a ele...

Fiquei terrivelmente triste naquele instante; todavia, algo parecido com um sorriso começou a remover-se em minha alma.

— A senhorita está nervosa — disse eu —, está com medo; acha que ele não virá.

— Ao diabo com o senhor! — respondeu ela. — Se eu estivesse menos feliz, talvez começasse a chorar por causa de sua descrença, de seus reproches. No entanto, o senhor me levou a uma ideia e me deu o que pensar por muito tempo; mas pensarei nisso depois, agora confesso-lhe que o senhor diz a verdade. Sim! Quase não sou mais eu; estou como que inteira na expectativa e sinto quase tudo com extrema facilidade. Mas chega; deixemos de lado os sentimentos...

Nessa hora ouviram-se passos, e na escuridão apareceu um transeunte que vinha ao nosso encontro. Ambos começamos a tremer; ela quase gritou. Larguei sua mão e fiz um gesto, como se quisesse afastar-me. Mas nos enganamos: não era ele.

— De que tem medo? Por que largou minha mão? — disse ela, dando-me a mão outra vez. — Bem, o que há? Nós o encontraremos juntos. Quero que ele veja como amamos um ao outro.

— Como amamos um ao outro! — exclamei.

"Oh, Nástienka, Nástienka!", pensei. "Você disse tanta coisa com essas palavras! Por um amor assim, Nástienka, em *outra* hora o coração gelaria e a alma ficaria pesada. Sua mão está fria, a minha está quente como fogo. Que cega você é, Nástienka!... Oh! Como é insuportável uma pessoa feliz em certos momentos! Mas eu não posso me zangar com você!..."

Noites brancas

Afinal, meu coração transbordou.

— Escute, Nástienka! — gritei. — Sabe o que se passou comigo o dia todo?

— Bem, o quê, o que foi? Diga logo! Por que ficou calado até agora?

— Em primeiro lugar, Nástienka, após cumprir todas as suas incumbências, mandar a carta e ir à casa daquela boa gente, eu... fui depois para casa e me deitei.

— Só isso? — interrompeu ela, rindo.

— Quase só isso — respondi de coração apertado, porque em meus olhos já se ajuntavam umas lágrimas tolas. — Despertei uma hora antes do nosso encontro, mas era como se não tivesse dormido. Não sei o que havia comigo. Eu vinha para lhe contar tudo isso; era como se o tempo tivesse parado, como se uma só sensação, um só sentimento houvesse de ficar em mim a partir deste instante para sempre, como se um só momento houvesse de continuar por toda a eternidade; como se toda a vida tivesse parado... Quando despertei, parecia-me que algum tema musical que eu conhecesse há muito tempo e tivesse ouvido antes em algum lugar, esquecido e agradável, me vinha agora à memória. Parecia-me que a vida toda ele clamara do fundo de minha alma, e só agora...

— Oh, meu Deus, meu Deus! — interrompeu Nástienka. — Como pode ser tudo isso? Não entendo uma palavra.

— Ah, Nástienka! Eu queria de algum modo lhe explicar essa estranha impressão... — comecei com uma voz lastimosa, na qual escondia-se uma esperança, ainda que remota.

— Chega, pare, chega! — disse ela, e num instante adivinhou tudo, a marota!

De repente ela ficou extraordinariamente falante, alegre e travessa. Tomou-me pelo braço, rindo, querendo que eu também risse, e cada uma de minhas palavras confusas era respondida por um riso tão sonoro, tão longo... Comecei a me zangar, e de repente ela partiu para o coquetismo.

— Escute — começou ela —, estou um pouquinho despeitada pelo senhor não ter se apaixonado por mim. Tente entender um homem depois disso! Mas mesmo assim, senhor inflexível, não pode deixar de me elogiar por eu ser tão espontânea. Eu lhe digo tudo, tudo, qualquer tolice que me passa pela cabeça.

— Escute! Parece que são onze horas, não é? — disse eu, quando o som cadenciado de um sino ressoou numa distante torre da cidade. Ela parou de repente, deixou de rir e começou a contar.

— Sim, onze — disse ela afinal, com voz tímida e indecisa.

Imediatamente me arrependi de tê-la assustado, de tê-la obrigado a contar as horas, e maldisse-me pelo acesso de raiva. Fiquei triste por causa dela e não sabia como reparar minha falta. Comecei a consolá-la, a buscar as razões da ausência dele, a inventar diversos argumentos e provas. Não havia ninguém mais fácil de enganar do que ela naquele momento, e qualquer um escutaria alegremente qualquer consolo que fosse e ficaria feliz da vida, mesmo que fosse só uma sombra de justificativa.

— É realmente uma coisa engraçada — comecei, cada vez mais entusiasmado e admirado com a extraordinária clareza de minhas provas. — Ele não podia mesmo vir; a senhorita me enganou e confundiu, Nástienka, de modo que perdi a noção do tempo... Pense bem: ele mal pôde receber a carta; suponhamos que não pudesse vir, suponhamos que ele vai responder, então a carta não chegará antes de amanhã. Irei até lá amanhã bem cedo e imediatamente a informarei sobre o que se passa. Suponha, afinal, mil possibilidades: bem, e se ele não estava em casa quando a carta chegou e, talvez, até agora não a leu? Tudo pode acontecer.

— Sim, sim! — respondeu Nástienka. — Não tinha pensado nisso; é claro, tudo pode acontecer — continuou ela com voz mais conciliadora, mas na qual, feito uma dissonância incômoda, ouvia-se um outro pensamento distante. — Eis o que o senhor fará — continuou ela. — O senhor vai amanhã o quanto antes e, se obtiver algo, imediatamente me informará. O senhor sabe onde moro, não é? — e começou a repetir-me o seu endereço.

Depois ficou de repente tão carinhosa, tão tímida comigo... Parecia escutar atentamente o que eu lhe dizia, mas quando lhe fiz uma certa pergunta, ficou calada, perturbada e virou o rosto. Olhei-a nos olhos; era isso: ela chorava.

— Ora, será possível, será possível? Mas como a senhorita é criança! Como é criança!... Chega!

Ela tentou sorrir e acalmar-se, mas seu queixo tremia e o peito arfava.

— Penso no senhor — disse-me após um momento de silêncio. — O senhor é tão bom que eu seria de pedra se não sentisse isso. Sabe o que me veio agora à cabeça? Eu comparei o senhor e o outro. Por que ele não é o senhor? Por que ele não é como o senhor? Ele é pior do que o senhor, embora eu o ame mais do que a si.

Não respondi nada. Parecia que ela esperava que eu dissesse algo.

— Claro, talvez eu ainda não o compreenda nem o conheça completamente. Sabe, é como se eu sempre o tivesse temido; ele estava sempre tão sério, como se fosse muito orgulhoso. Claro, sei que ele apenas parece ser assim e que em seu coração há mais ternura do que no meu... Recordo de como ele olhou para mim quando, lembra-se, fui até seu quarto com a trouxa; mas apesar de tudo eu o estimo demais: é como se não tivéssemos nada em comum, não é?

— Não, Nástienka, não — respondi. — Isto significa que a senhorita o ama mais do que a tudo no mundo, e muito mais do que a si mesma.

— Sim, suponhamos que seja assim — respondeu a ingênua Nástienka. — Sabe o que me veio agora à cabeça? Mas agora não é dele que vou falar, e sim de algo mais geral; tudo isso me veio à cabeça há muito tempo. Escute, por que nós todos não somos como irmãos? Por que parece sempre que até o melhor dos homens esconde algo do outro e se cala diante dele? Por que não dizer logo, diretamente, o que está no coração, se sabemos que não serão palavras ao vento? Mas todos aparentam ser mais duros do que realmente são, é como se todos temessem ofender seus sentimentos ao expressá-los muito depressa...

— Ah, Nástienka! A senhorita diz a verdade; e isso tem muitas razões — interrompi, reprimindo naquele instante mais do que nunca os meus sentimentos.

— Não, não! — respondeu ela com profunda emoção. — O senhor, por exemplo, não é como os outros! Na verdade não sei como lhe contar o que sinto; mas parece-me que o senhor, por exemplo... ainda agora... parece que o senhor sacrifica algo por mim — acrescentou ela timidamente, olhando-me de soslaio. — O senhor me desculpe se lhe falo assim; sou uma moça simples, vi pouca coisa no mundo e, na verdade, nem sei falar — acrescentou com voz trêmula por causa de algum sentimento oculto, enquanto se esforçava para sorrir. — Mas queria apenas lhe dizer que sou grata, que também sinto tudo isso... Oh, que Deus lhe dê felicidade! Veja, tudo aquilo que o senhor disse sobre o seu sonhador é absolutamente falso; isto é, quero dizer, não lhe diz respeito em absoluto. O senhor está restabelecido; na verdade, é um homem absolutamente diferente daquele que descreveu. Se algum dia se apaixonar, que Deus lhe dê felicidade ao lado dela! E a ela nada desejo, pois será feliz com o senhor. Eu sei, eu sou mulher, e deve acreditar em mim quando lhe falo assim...

Ela se calou e apertou-me fortemente a mão. Eu também não podia dizer nada de tanta emoção. Passaram-se alguns minutos.

— Sim, pelo visto ele não virá hoje! — disse ela afinal, levantando a cabeça. — É tarde!...

— Ele virá amanhã — disse eu com voz mais firme e convincente.

— Sim — acrescentou ela, alegrando-se. — Eu mesma vejo agora que ele só virá amanhã. Bem, até a vista! Até amanhã! Se chover, talvez eu não venha. Mas depois de amanhã virei, virei sem falta, haja o que houver; esteja aqui sem falta; quero ver o senhor, pois vou lhe contar tudo.

E depois, quando nos despedimos, ela me deu a mão e disse, fitando-me serenamente:

— Agora ficaremos para sempre juntos, não é verdade?

Oh! Nástienka, Nástienka! Se você soubesse em que solidão estou agora!

Quando soaram nove horas, não consegui permanecer no quarto; vesti-me e saí, apesar do tempo ruim. Eu estava ali, sentado em nosso banco. Andei por sua viela, mas fiquei com vergonha e voltei sem olhar para as janelas, chegando a dois passos de sua casa. Cheguei em casa numa tristeza tamanha como nunca havia sentido. Que tempo úmido e tedioso! Se estivesse um tempo bom, eu teria passeado a noite toda...

Mas até amanhã, até amanhã! Amanhã ela me contará tudo.

Hoje, porém, não havia carta. Entretanto, tinha de ser assim. Eles já estavam juntos...

QUARTA NOITE

Deus, como tudo isto acabou! De que modo tudo isto acabou!

Cheguei às nove horas. Ela já estava lá. Ainda de longe eu a vi: estava de pé, como na primeira vez, com os cotovelos apoiados no parapeito da marginal do rio, e não percebeu quando me aproximei.

— Nástienka! — chamei-a, esforçando-me por conter minha emoção.

Ela voltou-se rapidamente para mim.

— Vamos! — disse ela. — Vamos! Depressa!

Olhei perplexo para ela.

— Bem, onde está a carta? O senhor trouxe a carta? — repetiu ela, agarrando-se ao parapeito.

— Não, não tenho carta — disse eu afinal. — Quem sabe ele ainda não chegou?

Ela empalideceu terrivelmente e por muito tempo ficou olhando imóvel para mim. Eu destruíra sua última esperança.

— Bem, que o diabo o carregue! — proferiu afinal com voz entrecortada. — Que o diabo o carregue, já que me deixou assim.

Ela baixou os olhos, depois quis olhar para mim mas não conseguiu. Por mais alguns minutos dominou sua emoção, mas de repente virou-se, apoiando-se na balaustrada, e rompeu em lágrimas.

— Chega, chega! — disse eu, mas ao olhar para ela faltaram-me forças para continuar; e o que eu poderia dizer?

Noites brancas   67

— Não me console — disse ela, chorando —, não fale dele, não diga que ele virá, que não me abandonou de forma tão cruel, tão desumana, como fez. Por quê, por quê? Será que foi algo na minha carta, naquela carta infeliz?...

Neste ponto, os soluços cortaram sua voz; olhando para ela, meu coração explodiu.

— Oh, como isto é cruelmente desumano! — começou ela novamente. — E nem uma linha, nem uma linha! Que ele respondesse que não precisava de mim, que me rejeitasse, mas sequer uma linha em três dias inteiros! Como é fácil para ele ofender, ultrajar uma moça pobre e desamparada, cuja culpa é tê-lo amado! Oh, eu sofri tanto nestes três dias! Meu Deus! Meu Deus! Quando lembro que eu mesma fui até ele na primeira vez, que me humilhei diante dele, chorei, implorei dele ao menos uma gota de amor... E depois isto!... Escute — disse ela virando-se para mim, e seus olhinhos negros brilharam —, mas isto não é assim! Isto não pode ser assim, não é natural! Ou o senhor ou eu nos enganamos; talvez ele não tenha recebido a carta! Talvez até agora não saiba de nada! Como é possível, julgue o senhor mesmo, diga-me, pela graça de Deus, explique-me — isto eu não consigo entender — como é possível agir de forma tão bárbara e grosseira como ele agiu comigo? Nem uma palavra! Até com a pior pessoa do mundo se tem mais compaixão. Talvez ele tenha ouvido algo, talvez alguém me tenha caluniado! — exclamou ela, virando-se para mim com uma pergunta. — O quê, o que o senhor acha?

— Escute, Nástienka, vou amanhã até a casa dele em seu nome.

— E então?

— Vou indagá-lo sobre tudo e contarei tudo a ele.

— E então, e então?

— A senhorita escreva uma carta. Não diga não, Nástienka, não diga não! Vou obrigá-lo a respeitar a sua conduta, ele saberá tudo, e se...

— Não, meu amigo, não — interrompeu ela. — Basta!

Nem mais uma palavra, nem mais uma palavra, nem uma linha sequer, basta! Não o conheço, não o amo mais, eu o es... que... cerei...

Não concluiu a frase.

— Acalme-se, acalme-se! Sente-se aqui, Nástienka! — disse eu, ajudando-a a sentar-se no banco.

— Eu estou calma. Chega! São lágrimas, isto secará! Pensa que vou me arruinar, que vou me afogar?...

Meu coração estava carregado; eu queria falar, mas não podia.

— Escute! — continuou ela, tomando-me pela mão. — Diga: o senhor não agiria assim, não é? Não abandonaria aquela que veio até o senhor, não zombaria de seu débil e tolo coração com tamanha insolência, não é? O senhor a pouparia, não? Consideraria que ela estava sozinha, que não sabia guiar-se por si mesma, que não sabia proteger-se contra esse amor, que não era culpada; que ela, afinal, não era culpada... que ela não fez nada!... Oh, meu Deus, meu Deus!...

— Nástienka! — gritei afinal, não podendo mais dominar minha emoção. — Nástienka! A senhorita está me dilacerando! Está ferindo meu coração, está me matando, Nástienka! Não posso me calar! Eu tenho de falar, dizer o que tenho acumulado aqui, no coração...

Dito isto, levantei-me do banco. Ela me tomou pela mão e olhou para mim assombrada.

— O que há com o senhor? — disse ela afinal.

— Escute! — disse eu, decidido. — Escute-me, Nástienka! O que vou dizer agora é totalmente absurdo, irrealizável e tolo! Sei que tudo isso nunca poderá acontecer, mas não posso me calar! Em nome daquilo por que a senhorita sofre agora, rogo-lhe de antemão: me perdoe!...

— Mas o que é, o quê? — disse ela, parando de chorar e olhando fixamente para mim, enquanto uma curiosidade estranha brilhava em seus olhinhos assombrados. — O que há com o senhor?

— Isto é irrealizável, mas eu a amo, Nástienka! Aí está! Agora tudo está dito! — disse eu, gesticulando. — Agora veja se pode falar comigo como falava há pouco, se pode, afinal, escutar o que vou lhe dizer...

— Mas como, como assim? — interrompeu Nástienka. — O que significa isto? Ora, há muito eu sei que o senhor me ama, mas pensava que me amasse apenas... de um modo simples... Ah, meu Deus, meu Deus!

— No começo era simples, Nástienka, mas agora, agora... Estou exatamente como a senhorita, quando foi até ele com sua trouxa. Pior ainda, Nástienka, pois ele não amava ninguém então, mas a senhorita ama.

Nástienka ficou completamente confusa. Suas faces inflamaram-se, ela baixou os olhos.

— O que fazer, Nástienka, que posso fazer? Sou culpado, eu abusei... Mas não, não, não sou culpado, Nástienka; eu percebo, sinto, pois meu coração me diz que estou certo, porque não posso de modo algum ofendê-la, nem insultá-la! Eu era seu amigo; bem, e mesmo agora sou seu amigo, não mudei em nada. Veja, agora derramo lágrimas, Nástienka. Que caiam, que caiam; elas não perturbam ninguém. Elas secarão, Nástienka...

— Mas sente-se, sente-se — disse ela, forçando-me a sentar no banco. — Oh, meu Deus!

— Não! Nástienka, não vou me sentar; já não posso mais ficar aqui, a senhorita já não pode mais me ver; vou dizer tudo e partir. Apenas quero dizer que a senhorita nunca saberia que eu a amo. Eu enterraria o meu segredo. Não começaria a dilacerá-la agora, justo neste momento, com meu egoísmo. Não! Mas não pude suportar; a senhorita mesma falou disso, a senhorita mesma é culpada, culpada de tudo, e não eu. A senhorita não pode me mandar embora...

— Ora essa! Não, eu não vou mandá-lo embora, não! — disse Nástienka, escondendo como podia sua confusão, a pobrezinha.

— Não me mandará embora? Não! Eu mesmo queria fugir da senhorita. E vou partir, apenas direi tudo primeiro, pois enquanto a senhorita falava eu não podia permanecer sentado; quando a senhorita chorava, quando se dilacerava por causa daquele... bem, daquele (direi com todas as letras, Nástienka), daquele que a rejeitou, daquele que recusou seu amor, eu senti, percebi que em meu coração havia tanto amor por si, Nástienka, tanto amor!... E fiquei tão amargurado por não poder ajudá-la com este amor... que meu coração explodiu, e eu, eu não pude me calar e tive de dizer, Nástienka, tive de dizer!...

— Sim, sim! Fale-me, fale assim comigo! — disse Nástienka com indescritível agitação. — Pode parecer estranho que eu lhe fale assim, mas... fale! Depois lhe direi! Eu lhe contarei tudo!

— A senhorita tem pena de mim, Nástienka; simplesmente tem pena de mim, minha amiga! O que passou, passou! O que está dito não volta! Não é assim? Bem, agora sabe de tudo. Aí está o ponto de partida. Está bem! Agora está tudo bem, apenas escute. Quando estávamos sentados e chorávamos, eu pensava comigo (oh, deixe-me dizer o que pensava!), eu pensava que (bem, claro, isto é impossível, Nástienka), pensava que a senhorita... pensava que a senhorita de algum modo... bem, de algum modo absolutamente estranho, já não o amava mais. Então — isto eu já pensava ontem e anteontem, Nástienka — então eu faria infalivelmente com que me amasse; pois a senhorita disse, a senhorita mesma disse, Nástienka, que já me amava quase totalmente. Bem, e depois? Bem, aí está quase tudo o que queria dizer; resta apenas dizer como seria se me amasse, apenas isto, mais nada! Escute, minha amiga — pois apesar de tudo a senhorita é minha amiga —, eu, claro, sou um homem simples, pobre e insignificante, mas não é disso que se trata (já nem sei o que digo; é a ansiedade, Nástienka); mas eu a amaria tanto, tanto que mesmo que a senhorita ainda amasse e continuasse

Noites brancas 71

amando aquele que não conheço, não iria considerar o meu amor como um peso para si. Apenas perceberia, sentiria a cada momento que perto de si bate um coração mil vezes agradecido, um coração que arde pela senhorita... Oh, Nástienka, Nástienka! O que fez comigo?...

— Não chore, eu não quero que chore — disse Nástienka, levantando-se rapidamente do banco. — Venha, levante-se, venha comigo, não chore, não chore — disse ela, enxugando minhas lágrimas com seu lenço. — Bem, agora venha; talvez eu lhe diga algo... Sim, já que agora ele me deixou, já que me esqueceu, apesar de eu ainda amá-lo (não quero enganar o senhor)... mas escute, responda-me. Se eu, por exemplo, amasse o senhor; isto é, se eu apenas... Oh, meu amigo, meu amigo! Quando penso, quando penso que o ofendi, que ri do seu amor quando o elogiava por não ter se apaixonado!... Oh, Deus! Mas como não previ isto, como não previ isto, como fui tão tola, mas... Bem, bem, já decidi: vou dizer tudo...

— Escute, Nástienka, sabe de uma coisa? Vou deixá-la; aí está! Eu apenas a atormento. Agora sente remorsos por ter rido, mas eu não quero; sim, não quero que a senhorita, além de sua dor... Claro, eu sou culpado, Nástienka, mas adeus!

— Pare, escute-me: o senhor pode esperar?

— Esperar o quê, como?

— É a ele que amo, mas isto passará, isto tem de passar, não pode deixar de passar; já está passando, eu sinto... Quem sabe, talvez acabe hoje mesmo, pois eu o odeio porque riu de mim, enquanto o senhor chorou comigo; porque o senhor não me rejeitaria como ele, pois me ama, ao passo que ele não me amava; e porque eu mesma, enfim, amo o senhor... sim, amo-o assim como o senhor me ama; já lhe disse antes, o senhor mesmo percebeu; amo-o por ser melhor e mais nobre do que ele; porque, porque ele...

A emoção da pobrezinha era tão forte que ela nem pôde terminar; pôs a cabeça em meu ombro, depois em meu pei-

to, e chorou amargamente. Eu a consolei, tranquilizei, mas ela não conseguia parar; apertava minha mão e dizia entre soluços: "Espere, espere, logo vou parar! Eu quero lhe dizer... não pense que estas lágrimas... isto é fraqueza; espere que vai passar...". Afinal ela parou, enxugou as lágrimas, e voltamos a caminhar. Eu queria falar, mas ela ficou ainda muito tempo me pedindo que esperasse. Ficamos calados... Afinal tomou ânimo e começou a falar...

— Veja — começou ela com voz fraca e trêmula, mas na qual soou algo que foi cravar-se direto em meu coração e o torturou docemente —, não pense que sou volúvel e inconstante, não pense que posso esquecer e mudar tão fácil e rapidamente... Eu o amei por um ano inteiro e, juro por Deus, nunca, nunca lhe fui infiel sequer em pensamento. Ele desprezou isto, riu de mim — que vá para o diabo! Ele me feriu e humilhou meu coração. Eu, eu não o amo, porque só posso amar alguém que seja generoso, que me entenda, que seja nobre, pois eu sou assim; e ele é indigno de mim — que vá para o diabo! Foi melhor ele ter feito isso agora do que mais tarde eu me enganar em minhas expectativas, ao descobrir quem ele é... Bem, acabou! Mas quem sabe, meu bom amigo — continuou ela, apertando minha mão —, quem sabe, talvez todo meu amor tenha sido um engano dos sentimentos, da imaginação; talvez tenha começado como uma brincadeira, uma tolice por causa da vigilância da avó. Talvez eu deva amar a outro, e não a ele; não a um homem como ele, mas a um outro, que tivesse pena de mim e, e... Bem, vamos deixar, vamos deixar isto — interrompeu Nástienka, sufocando de emoção. — Eu só queria lhe dizer... queria lhe dizer que se, embora eu o ame (não, embora o tenha amado), se, apesar disso, o senhor ainda disser... se o senhor sente que seu amor é tão grande a ponto de poder tirar de meu coração o que havia antes... se quiser ter piedade de mim, se não quiser me deixar sozinha com o meu destino, sem consolo, sem esperança, se quiser me amar para sempre como me ama agora, então juro que minha gratidão... que meu amor será afinal digno do seu... Tomaria minha mão agora?

— Nástienka — gritei, sufocando de soluços —, Nástienka! Oh, Nástienka!...

— Bem, basta, basta! Agora basta definitivamente! — disse ela, mal se contendo. — Agora está tudo dito, não é verdade? Sim? Bem, o senhor está feliz, e eu estou feliz; nem uma palavra mais sobre isto; espere, tenha pena de mim... Fale de alguma outra coisa, por Deus!

— Sim, Nástienka, sim! Já basta, agora estou feliz, eu... Bem, Nástienka, bem, falemos de outra coisa, vamos, vamos, falemos; sim! Estou pronto...

E não sabíamos o que dizer; ríamos, chorávamos, dizíamos mil coisas sem nexo nem sentido; ora andávamos pela calçada, ora voltávamos de repente e então atravessávamos a rua; depois parávamos e íamos outra vez para a marginal do rio; parecíamos crianças...

— Agora vivo sozinho, Nástienka — disse eu —, mas amanhã... Bem, claro, sabe, Nástienka, sou pobre, tenho ao todo mil e duzentos rublos, mas isto não importa...

— Certamente que não, e a avó tem a pensão; ela não vai nos estorvar. É preciso levar a avó.

— Claro, é preciso levar a avó... Mas há Matriôna...

— Ah, sim, e temos também Fiokla!

— Matriôna é boa, só tem um defeito: ela não tem imaginação, Nástienka, absolutamente nenhuma imaginação, mas isto não importa...

— É a mesma coisa, ambas podem ficar juntas; só que amanhã o senhor se muda para nossa casa.

— Como? Para sua casa! Está bem, estou pronto...

— Sim, será nosso inquilino. Temos um mezanino, ele está vazio; a inquilina, uma velhinha nobre, partiu, e a avó, eu sei, quer hospedar um jovem. Eu digo: "Por que um jovem?". E ela diz: "Ora, eu já sou velha; mas não pense que lhe quero arranjar marido". Mas percebi que era isto mesmo...

Noites brancas 75

— Ah, Nástienka!...

E ambos começamos a rir.

— Bem, chega, já chega. Mas onde o senhor mora? Esqueci de perguntar.

— Ali, perto da ponte, no edifício Barannikov.

— É um bem grande?

— Sim, bem grande.

— Ah, sei, é um bom prédio; mas, sabe, deixe-o e mude-se o mais rápido possível para nossa casa...

— Amanhã mesmo, Nástienka, amanhã mesmo; devo ainda um pouquinho pelo quarto, mas isto não importa... logo receberei meu salário.

— E, sabe, talvez eu dê aulas; eu mesma vou estudar e depois darei aulas...

— Ora, isto é ótimo... e em breve receberei uma gratificação, Nástienka...

— Então, amanhã o senhor será meu inquilino...

— Sim, e iremos ao *Barbeiro de Sevilha*, porque em breve vão representá-lo outra vez.

— Sim, iremos — disse Nástienka, rindo. — Não, é melhor que vejamos não o *Barbeiro*, mas alguma outra coisa...

— Está bem, uma outra coisa; claro, será melhor, eu não tinha pensado...

Falando essas coisas, íamos como numa embriaguez, num nevoeiro, como se não soubéssemos o que se passava conosco. Ora parávamos e conversávamos longamente num lugar, ora começávamos a caminhar outra vez e passávamos sabe Deus por onde; e outra vez o riso, outra vez as lágrimas... De repente, Nástienka queria ir para casa; eu não ousava dissuadi-la e queria levá-la até lá; tomávamos o caminho e logo, dentro de um quarto de hora, estávamos outra vez na marginal, perto do nosso banco. Então ela suspirava, e novamente uma pequena lágrima corria de seus olhos; eu ficava tímido, gelado... Mas aí ela estreitava minha mão e me levava de novo para caminhar, tagarelar, conversar...

— Agora é hora, é hora de eu ir para casa, acho que já é tarde — disse Nástienka afinal. — Chega de ser criança!

— Sim, Nástienka, só que agora não vou dormir, não vou para casa.

— Talvez eu também não durma; mas me acompanhe...

— Certamente!

— Mas agora iremos de fato para casa.

— Certamente, certamente...

— Palavra de honra?... pois uma hora é preciso voltar para casa!

— Palavra de honra — respondi eu, rindo...

— Bem, vamos!

— Vamos. Olhe para o céu, Nástienka, olhe! Amanhã será um dia maravilhoso; que céu azul, que lua! Olhe: agora aquela nuvem amarela vai cobri-la, olhe, olhe!... Não, apenas passou perto. Olhe, olhe!...

Mas Nástienka não olhava para a nuvem; ela estava calada, como que plantada no lugar; em um minuto começou a estreitar-se tímida e fortemente contra mim. Sua mão começou a tremer na minha; eu a olhei... Ela encostou-se ainda mais em mim.

Nesse momento, um jovem passou por nós. Ele parou de repente, olhou-nos fixamente e deu mais alguns passos. Meu coração começou a tremer...

— Nástienka — disse eu a meia-voz —, quem é, Nástienka?

— É ele! — respondeu ela num murmúrio, ainda mais perto, mais trêmula, apertando-se contra mim... Eu mal me mantinha de pé.

— Nástienka! Nástienka! É você! — ouviu-se uma voz atrás de nós, e imediatamente o jovem deu alguns passos em nossa direção.

Deus, que grito! Como ela tremeu! Como escapou das minhas mãos e voou ao encontro dele!... Fiquei parado, olhando para eles como morto. Mas ela, mal lhe deu a mão, mal

Noites brancas

77

lançou-se em seus braços e de repente virou-se novamente para mim, apareceu ao meu lado, como o vento, como um relâmpago, e antes que eu recobrasse a consciência, envolveu meu pescoço com ambos os braços e me beijou calorosa e intensamente. Depois, sem me dizer uma palavra, lançou-se novamente a ele, tomou-o pelo braço e o levou consigo.

Fiquei parado por muito tempo seguindo-os com o olhar... Até que, por fim, eles desapareceram de meus olhos.

MANHÃ

Minhas noites terminaram pela manhã. O dia estava ruim. A chuva caía e batia melancolicamente em minhas vidraças; no quarto estava escuro, lá fora encoberto. Minha cabeça doía e girava, a febre se infiltrava em meus membros.

— Carta para você, *bátiuchka*;[28] veio pelo correio, o carteiro trouxe — disse Matriôna perto de mim.

— Carta? De quem? — gritei, saltando da cadeira.

— Não sei, *bátiuchka*; olhe, talvez esteja escrito de quem é.

Rompi o selo. Era dela!

"Oh, perdoe, perdoe-me!", escrevia Nástienka. "Suplico-lhe de joelhos, perdoe-me! Enganei o senhor e a mim mesma. Foi um sonho, uma ilusão. Hoje sofri por sua causa; perdoe-me, perdoe-me!...

"Não me acuse, pois não mudei nada em relação ao senhor; eu disse que iria amá-lo e agora o que sinto é mais do que amor. Oh, Deus! Se eu pudesse amar os dois ao mesmo tempo! Oh, se o senhor fosse ele!"

"Oh, se ele fosse o senhor!" — passou por minha cabeça. Eu me lembrei de suas palavras, Nástienka!

"Deus sabe o que eu faria pelo senhor agora! Sei que é triste e duro. Eu o ofendi, mas o senhor sabe: quando ama-

---

[28] Literalmente, "paizinho". (N. do T.)

mos, por quanto tempo nos lembramos de uma ofensa? E o senhor me ama!

"Agradeço! Sim! Agradeço-lhe por esse amor. Pois em minha memória esse amor está gravado como um sonho doce, do qual se recorda por muito tempo depois de acordar; pois vou recordar eternamente daquele instante em que o senhor abriu-me de maneira tão fraterna o seu coração e tão generosamente tomou o meu, mortificado, para guardá-lo, cuidar dele, curá-lo... Se me perdoar, a sua lembrança ganhará em mim um eterno sentimento de gratidão, que nunca desaparecerá de minha alma... Vou guardar esta lembrança, serei fiel a ela, não a trairei, não trairei meu coração: ele é demasiado constante. Ontem mesmo ele voltou para aquele a quem já pertencia eternamente.

"Nós nos encontraremos, o senhor virá a nossa casa, não nos deixará, será para sempre meu amigo, meu irmão... E quando me vir, me dará a mão... Sim? Me dará a mão, pois terá me perdoado, não é verdade? O senhor me ama *como antes*?

"Oh, ame-me, não me deixe; eu o amo tanto neste momento, porque sou digna do seu amor, porque mereço esse amor... meu querido amigo! Caso-me com ele na próxima semana. Ele voltou apaixonado, nunca se esqueceu de mim... Não se zangue por escrever sobre ele. Quero ir à sua casa com ele; o senhor gostará dele, não é verdade?...

"Perdoe, lembre-se e ame a sua

Nástienka"

Reli muitas vezes essa carta, as lágrimas rolavam de meus olhos. Por fim ela caiu de minhas mãos, e cobri o rosto.

— Querido! Ora, querido! — começou Matriôna.

— O quê, velha?

— Eu já tirei toda a teia de aranha do teto; agora você já pode casar, convidar umas visitas, agora mesmo...

Olhei para Matriôna... Era uma velha ainda *jovem*, bon-

dosa, mas, não sei por quê, de repente ela me apareceu com o olhar apagado, com rugas no rosto, encurvada, decrépita... Não sei por quê, pareceu-me de repente que meu quarto envelhecera tanto quanto a velha. As paredes e o piso haviam perdido a cor, tudo se apagara; as teias de aranha tinham se proliferado. Não sei por quê, quando olhei pela janela, pareceu-me que a casa em frente também ficara decrépita, apagada, que o reboco das colunas tinha descascado e caído, que as cornijas estavam enegrecidas e rachadas, e que as paredes, de um amarelo forte e brilhante, estavam todas manchadas...

Ou então um raio de sol, tendo surgido subitamente por detrás de uma nuvem, escondeu-se outra vez atrás de uma nuvem escura, e outra vez tudo se apagou aos meus olhos; ou talvez diante de mim tenha surgido por um instante, inóspita e triste, toda a perspectiva do meu futuro, e eu me tenha visto assim, como sou agora, exatamente daqui a quinze anos, envelhecido, neste mesmo quarto, sozinho, com esta mesma Matriôna, que depois de todos estes anos não se tornou nem um pouco mais inteligente.

Mas lembrar-me daquela ofensa, Nástienka! Erguer uma nuvem escura sobre a sua felicidade clara e serena; levar tristeza ao seu coração, acusá-lo e fazê-lo amargar um remorso secreto, obrigando-o a bater tristemente num momento de júbilo; pisar uma só das flores ternas que adornarão suas madeixas negras quando for com ele ao altar... Oh, nunca, nunca! Que seja claro o seu céu, que seja luminoso e sereno o seu lindo sorriso; abençoada seja você pelo momento de júbilo e felicidade que concedeu a um coração solitário e agradecido!

Meu Deus! Um momento inteiro de júbilo! Não será isto o bastante para uma vida inteira?...

POSFÁCIO

Nivaldo dos Santos

Os romances que tornaram o nome de Fiódor Dostoiévski conhecido em todo o mundo foram escritos na segunda fase de sua carreira, após o seu retorno do exílio na Sibéria, em 1859. No entanto, seria uma injustiça considerar os trabalhos de sua juventude apenas como obras menores, pois a grandeza do autor de *Crime e castigo* e *Os irmãos Karamázov* já se revela intensamente em seus escritos da primeira fase. A novela *Noites brancas* é um bom exemplo disso. Publicada pela primeira vez em 1848, pouco antes de o autor ser preso e condenado ao exílio, esta obra assinala, em certa medida, o fim da primeira fase da carreira do escritor.

Nesta pequena obra-prima, a vitalidade literária do escritor se manifesta através da retomada de determinados motivos românticos, os quais conferem à narrativa um caráter singular no interior da vasta produção de Dostoiévski. Talvez, dentre todas as obras do escritor, *Noites brancas* seja a que mais se aproxima do Romantismo, tanto pelo enredo quanto pelos recursos empregados. Em razão disso, esta novela pode até causar uma certa surpresa no leitor que já tenha tido contato com os grandes romances de Dostoiévski.

A história se passa durante as noites brancas de São Petersburgo, período do verão em que o sol não chega a se pôr de todo, dando ao ambiente uma aparência "fantasmagórica". Aproveitando esse fenômeno, o autor cria uma atmosfera densamente romântica e lúgubre, repleta de "sonhos" e "espectros" que lembram as obras de E. T. A. Hoffmann.

É interessante observar que Dostoiévski lançava mão de recursos românticos numa época em que essa atitude era condenada pela crítica. No prefácio a uma coletânea de obras de Dostoiévski, P. A. Nikoláiev assinala que os episódios românticos eram então motivo de escárnio por parte dos críticos realistas. Bielínski, importante crítico da época e um dos que aclamaram Dostoiévski quando da publicação de seu primeiro romance, *Gente pobre* (1846), atacava de maneira impiedosa os escritos considerados "não realistas". A julgar pelas censuras de Bielínski a outros trabalhos supostamente "não realistas" de Dostoiévski, podemos supor que esta obra, publicada pouco depois da morte do crítico, o teria desagradado muito.

Porém, seria inadequado enquadrar esta novela inteiramente na estética romântica. Se atentarmos para o tratamento dado pelo autor aos motivos extraídos do Romantismo, perceberemos que transparece um matiz paródico na caracterização das personagens e no próprio estilo narrativo. Aliás, a paródia seria um recurso amplamente utilizado por Dostoiévski em suas obras da fase madura. Evidentemente, *Noites brancas* não é uma obra cômica; apesar de algumas cenas um pouco engraçadas, o tom lúgubre que predomina no decorrer da narrativa não permite que ela seja objeto de riso. Mas a crítica que se estabeleceu a partir dos formalistas russos (de Iuri Tiniánov, em particular) considera a paródia não como simples modo de ridicularização de algo sério, e sim como um meio de revitalização de velhas formas. Partindo deste princípio, podemos considerar que esta novela, ao menos em parte, representa uma paródia de obras românticas.

Atentemos, por exemplo, para o narrador aí empregado: um sujeito que define a si mesmo como "um tipo", "uma criatura de gênero neutro", "um sonhador". Esse narrador, que emerge das sombras do Romantismo, com seu discurso elevado e pomposo, com sua linguagem declamatória, é caracterizado como um personagem ridículo. Seu mundo é repleto de imagens extraídas de romances; ele vive uma "realidade" imaginária, romanceada, enquanto a realidade exterior à sua imaginação, a do mundo em redor, aparece sempre distante. Refugiado em seu "canto", o personagem não é capaz de seguir o ritmo da vida prática das pessoas comuns.

Em certo sentido, essa caracterização cria um ponto de contraste entre o narrador e a personagem Nástienka, a qual entretanto também se define como uma "sonhadora". Embora esteja igualmente coberta por um véu de romantismo, a moça parece ter um senso de vida prática mais aguçado do que o narrador, tanto que não hesita na hora de escolher entre seus dois pretendentes. Nástienka pode sem dúvida ser tomada como uma "sonhadora", mas, talvez em razão de sua simplicidade, ela está mais próxima do mundo real, o que a torna capaz de ajustar-se minimamente ao ritmo da vida cotidiana. Seus sonhos não vão muito além do mundo à sua volta, ela não tem grandes pretensões; na verdade, deseja apenas casar-se com o homem que ama.

O discurso elevado do narrador contrasta com a simplicidade do enredo, fazendo com que esse personagem fique deslocado dentro do cotidiano da cidade fantástica e produzindo, com isso, um efeito cômico. Por outro lado, o resultado de sua desilusão ante a realidade do desfecho da narrativa adquire um caráter dramático, embora em seu discurso final o narrador beire o patético.

O drama do narrador em nada afeta o mundo à sua volta, nem mesmo a própria Nástienka; de certo modo até esse drama adquire um caráter imaginário, o que reforça o isolamento desse indivíduo. Mas a solidão romântica do narrador revela-se no final mais realista, aniquilando por completo o seu mundo fantasioso. Por fim, resta-lhe apenas projetar-se no futuro, mais velho e decrépito.

Esse isolamento do narrador reflete até certo ponto a própria visão do autor diante da agitada capital russa da época. Ao deixar a velha Moscou para estudar em São Petersburgo, Dostoiévski logo percebeu o contraste existente na cidade, onde em meio à turbulência da vida moderna vagavam indivíduos isolados e excluídos de sua grandeza.

Assim, *Noites brancas* não deixa de tocar no drama do pequeno indivíduo (*málienki tcheloviék*) que encontra a satisfação de seus modestos desejos apenas através do sonho. Podemos até dizer que, fora do mundo imaginário, esse indivíduo não chega sequer a possuir uma existência concreta; note-se, aliás, que em momento algum da narrativa ele é nomeado. Sua imagem possui, desse modo, a mesma natureza fantasmagórica daquela cidade fantástica que ele habita e dos espectros que habitam os seus sonhos.

SOBRE O AUTOR

Fiódor Mikháilovitch Dostoiévski nasceu em Moscou a 30 de outubro de 1821, num hospital para indigentes onde seu pai trabalhava como médico. Em 1838, um ano depois da morte da mãe por tuberculose, ingressa na Escola de Engenharia Militar de São Petersburgo. Ali aprofunda seu conhecimento das literaturas russa, francesa e outras. No ano seguinte, o pai é assassinado pelos servos de sua pequena propriedade rural.

Só e sem recursos, em 1844 Dostoiévski decide dar livre curso à sua vocação de escritor: abandona a carreira militar e escreve seu primeiro romance, *Gente pobre*, publicado dois anos mais tarde, com calorosa recepção da crítica. Passa a frequentar círculos revolucionários de Petersburgo e em 1849 é preso e condenado à morte. No derradeiro minuto, tem a pena comutada para quatro anos de trabalhos forçados, seguidos por prestação de serviços como soldado na Sibéria — experiência que será retratada em *Escritos da casa morta*, livro que começou a ser publicado em 1860, um ano antes de *Humilhados e ofendidos*.

Em 1857 casa-se com Maria Dmitrievna e, três anos depois, volta a Petersburgo, onde funda, com o irmão Mikhail, a revista literária *O Tempo*, fechada pela censura em 1863. Em 1864 lança outra revista, *A Época*, onde imprime a primeira parte de *Memórias do subsolo*. Nesse ano, perde a mulher e o irmão. Em 1866, publica *Crime e castigo* e conhece Anna Grigórievna, estenógrafa que o ajuda a terminar o livro *Um jogador*, e será sua companheira até o fim da vida. Em 1867, o casal, acossado por dívidas, embarca para a Europa, fugindo dos credores. Nesse período, ele escreve *O idiota* (1869) e *O eterno marido* (1870). De volta a Petersburgo, publica *Os demônios* (1872), *O adolescente* (1875) e inicia a edição do *Diário de um escritor* (1873-1881).

Em 1878, após a morte do filho Aleksiêi, de três anos, começa a escrever *Os irmãos Karamázov*, que será publicado em fins de 1880. Reconhecido pela crítica e por milhares de leitores como um dos maiores autores russos de todos os tempos, Dostoiévski morre em 28 de janeiro de 1881, deixando vários projetos inconclusos, entre eles a continuação de *Os irmãos Karamázov*, talvez sua obra mais ambiciosa.

SOBRE O TRADUTOR

Nivaldo dos Santos é professor de russo do Centro de Ensino de Línguas da Universidade Estadual de Campinas. Obteve a graduação e o mestrado na área de russo da Faculdade de Filosofia, Letras e Ciências Humanas da Universidade de São Paulo, onde defendeu dissertação sobre os *Contos de Odessa*, de Isaac Bábel. Trabalhou como locutor e tradutor na Rádio Estatal de Moscou no final dos anos 1990. Traduziu as novelas *Noites brancas*, de Fiódor Dostoiévski (Editora 34, 2005) e *Tarás Bulba*, de Nikolai Gógol (Editora 34, 2007), o romance policial *A morte de um estranho*, de Andrei Kurkov (A Girafa, 2006), a coletânea *No campo da honra e outros contos*, de Isaac Bábel (Editora 34, 2014), e, com Francisco de Araújo, *A luva, ou KR-2*, volume 6 dos *Contos de Kolimá*, de Varlam Chalámov (Editora 34, 2019).

SOBRE O ARTISTA

De uma família de imigrantes italianos, Livio Abramo nasceu em Araraquara, no interior do estado de São Paulo, em 1903, mudando-se para a capital ainda na infância. As gravuras em madeira que Oswaldo Goeldi (1895-1961) publicava nos jornais na década de 20 impulsionaram Livio a realizar a sua primeira xilogravura, cortada a gilete sobre madeira de caixote, em 1926. Gravando sempre de maneira independente e autodidata, passou a ilustrar jornais da colônia italiana, de tendências anarquistas ou de esquerda.

Em 1929, o encontro com gravuras expressionistas alemãs, então expostas em São Paulo, marca-o profundamente e se faz visível na obra dos anos 30 — particularmente nas estampas que retratam a vida operária (Mário Pedrosa considerava-o o primeiro artista brasileiro a transpor para a xilo o tema da luta de classes) e na série *Espanha* (1936-37), que tematiza a guerra civil naquele país. Após um período de intensa militância política, em que deixa de lado a gravura, em 1947 é convidado a ilustrar o livro de contos *Pelo sertão*, de Afonso Arinos. Livio Abramo muda então sua maneira de trabalhar: troca a faca e a goiva pelos buris, e elabora uma linguagem construtiva, que se afasta da matriz expressionista e lhe parece mais adequada à expressão da natureza e da cultura brasileiras.

Com a conquista do prêmio de viagem no Salão Nacional de Arte Moderna, em 1950, no Rio de Janeiro, inicia-se uma fase de reconhecimento de seu trabalho no Brasil e no exterior. Participa da Bienal de Veneza em 1950, 1952, 1954 e 1958, e recebe o prêmio de melhor gravador na II Bienal de São Paulo, em 1953, com obras já próximas do abstracionismo. Paralelamente dá seguimento a sua atividade como ilustrador, realizando, para a Livraria José Olympio Editora, as ilustrações de *Noites brancas* e *O sósia*, de Dostoiévski.

Em 1962 fixa residência em Assunção, no Paraguai, onde permanece à frente da Missão Cultural Brasil-Paraguai, sendo responsável pela formação de diversos artistas naquele país. Faleceu na cidade de Assunção em 1992, e é hoje considerado, ao lado de Goeldi e Segall, um dos pioneiros da gravura moderna no Brasil.

COLEÇÃO LESTE

István Örkény
*A exposição das rosas
e A família Tóth*

Karel Capek
Histórias apócrifas

Dezsö Kosztolányi
*O tradutor cleptomaníaco
e outras histórias de Kornél Esti*

Sigismund Krzyzanowski
*O marcador de página
e outros contos*

Aleksandr Púchkin
*A dama de espadas:
prosa e poemas*

A. P. Tchekhov
*A dama do cachorrinho
e outros contos*

Óssip Mandelstam
*O rumor do tempo
e Viagem à Armênia*

Fiódor Dostoiévski
Memórias do subsolo

Fiódor Dostoiévski
*O crocodilo e
Notas de inverno
sobre impressões de verão*

Fiódor Dostoiévski
Crime e castigo

Fiódor Dostoiévski
Niétotchka Niezvânova

Fiódor Dostoiévski
O idiota

Fiódor Dostoiévski
*Duas narrativas fantásticas:
A dócil e
O sonho de um homem ridículo*

Fiódor Dostoiévski
O eterno marido

Fiódor Dostoiévski
Os demônios

Fiódor Dostoiévski
Um jogador

Fiódor Dostoiévski
Noites brancas

Anton Makarenko
Poema pedagógico

A. P. Tchekhov
*O beijo
e outras histórias*

Fiódor Dostoiévski
A senhoria

Lev Tolstói
A morte de Ivan Ilitch

Nikolai Gógol
Tarás Bulba

Lev Tolstói
A Sonata a Kreutzer

Fiódor Dostoiévski
Os irmãos Karamázov

Vladímir Maiakóvski
O percevejo

Lev Tolstói
Felicidade conjugal

Nikolai Leskov
*Lady Macbeth
do distrito de Mtzensk*

Nikolai Gógol
Teatro completo

Fiódor Dostoiévski
Gente pobre

Nikolai Gógol
O capote e outras histórias

Fiódor Dostoiévski
O duplo

A. P. Tchekhov
Minha vida

Bruno Barretto Gomide (org.)
Nova antologia do conto russo

Nikolai Leskov
*A fraude
e outras histórias*

Nikolai Leskov
*Homens interessantes
e outras histórias*

Ivan Turguêniev
Rúdin

Fiódor Dostoiévski
*A aldeia de Stepántchikovo
e seus habitantes*

Fiódor Dostoiévski
*Dois sonhos:
O sonho do titio e
Sonhos de Petersburgo
em verso e prosa*

Fiódor Dostoiévski
Bobók

Vladímir Maiakóvski
Mistério-bufo

A. P. Tchekhov
Três anos

Ivan Turguêniev
Memórias de um caçador

Bruno Barretto Gomide (org.)
*Antologia do
pensamento crítico russo*

Vladímir Sorókin
Dostoiévski-trip

Maksim Górki
*Meu companheiro de estrada
e outros contos*

A. P. Tchekhov
O duelo

Isaac Bábel
*No campo da honra
e outros contos*

Varlam Chalámov
Contos de Kolimá

Fiódor Dostoiévski
Um pequeno herói

Fiódor Dostoiévski
O adolescente

Ivan Búnin
O amor de Mítia

Varlam Chalámov
*A margem esquerda
(Contos de Kolimá 2)*

Varlam Chalámov
*O artista da pá
(Contos de Kolimá 3)*

Fiódor Dostoiévski
Uma história desagradável

Ivan Búnin
O processo do tenente Ieláguin

Mircea Eliade
Uma outra juventude e Dayan

Varlam Chalámov
Ensaios sobre o mundo do crime
(Contos de Kolimá 4)

Varlam Chalámov
A ressurreição do lariço
(Contos de Kolimá 5)

Fiódor Dostoiévski
Contos reunidos

Lev Tolstói
Khadji-Murát

Mikhail Bulgákov
O mestre e Margarida

Iuri Oliécha
Inveja

Nikolai Ognióv
Diário de Kóstia Riábtsev

Ievguêni Zamiátin
Nós

Boris Pilniák
O ano nu

- Viktor Chklóvski
Viagem sentimental

Nikolai Gógol
Almas mortas

Fiódor Dostoiévski
Humilhados e ofendidos

Vladímir Maiakóvski
Sobre isto

Ivan Turguêniev
Diário de um homem supérfluo

Arlete Cavaliere (org.)
Antologia do humor russo

Varlam Chalámov
A luva, ou KR-2
(Contos de Kolimá 6)

Mikhail Bulgákov
Anotações de um jovem médico

Lev Tolstói
Dois hussardos

Fiódor Dostoiévski
Escritos da casa morta

Ivan Turguêniev
O rei Lear da estepe

Fiódor Dostoiévski
Crônicas de Petersburgo

Lev Tolstói
Anna Kariênina

Liudmila Ulítskaia
Meninas

Vladímir Sorókin
O dia de um oprítchnik

Aleksandr Púchkin
A filha do capitão

Lev Tolstói
O cupom falso

Iuri Tyniánov
O tenente Quetange

Ivan Turguêniev
Ássia

Lev Tolstói
Contos de Sebastopol

Tatiana Tolstáia
No degrau de ouro

Nikolai Leskov
Um pequeno engano
e outras histórias

Este livro foi composto em Sabon,
pela Bracher & Malta, com CTP da
New Print e impressão da Graphium
em papel Pólen Bold 90 g/m² da Cia.
Suzano de Papel e Celulose para a
Editora 34, em maio de 2025.